國學經典故事
周朝　秦國卷

萬安培　主編

《國學經典故事》
編輯委員會

序言

中華優秀傳統文化傳承需要國學傳播方式的現代表達

今天我們所說的「國學經典」，包括經、史、子、集等，範圍是非常廣泛的。廣義的「國學經典」，包括一些著名的蒙學讀物、詩詞曲賦、志怪小說、世情小說、歷史演義等。這些著作，不少是經過時間淘漉和歷史沉澱的文化精品，是傳統文化的精華。由優秀傳統文化結晶形成的文化寶庫，不僅是中華民族屹立於世界民族之林的獨特標識，也是今天實現偉大復興強國夢取之不盡、用之不竭的智慧之源。

中華優秀傳統文化或者說國學經典的傳承，不應該只是文史領域少數專家學者的孤芳自賞，至少應包括兩個主要的內容。一是各級領導幹部要帶頭學國學，以學益智、以學修身、學以致用、身體力行；二是要培養全民族特別是青少年研習國學經典的興趣，藉助於誦讀經典，提高全民族的國學素養，激發青少年熱愛中華文化的拳拳之心和殷殷之情。

近年來，由於黨和國家的高度重視，一股學國學、講國學，注重吸取優秀傳統文化滋養的良好風尚正在形成。不過，就整體而言，國學經典的普及與推廣還面臨不少障礙：一是一些人墨守過去大批判的思路，對中國傳統文化採取一概排斥、一棍子打死的態度；二是大眾古文和傳統文化基礎知識薄弱；三是網路時代速食文化盛行，大量擠佔公眾閱讀的空間與時間。

對待歷史虛無主義，最好的辦法是讓人們通過閱讀國學經典，從中汲取和提煉修身處世、治國理政的智慧，養浩然之氣，塑高尚人格，不斷提高人文素養和精神境界。面對國學基礎薄弱和速食文化盛行的挑戰，則必須考慮在經典傳播表達方式上大膽突破創新。

研讀國學經典是一種高含金量的文化閱讀，除需要一定的古文功底，還需涉獵大量的歷史典故知識。要營造全民學國學、講國學的文化氛圍，就必須在國學經典的大眾化、通俗化和趣味性方面做文章。這方面，先秦諸子百家早已為我們樹立了榜樣。他們在表達自己的政治觀點和學術主張時，從來不是長篇大論和空洞說教，而是巧借通俗生動的寓言故事，來闡發修身齊家治國平天下的大智慧。面對網路時代閱讀形態、閱讀人群和閱讀終端的新變化，國學經典的傳播不能沿襲傳統的表達和傳播方式，必須在創新上狠下功夫。習近平總書記提出要「推動中華優秀傳統文化創造性轉化、創新性發展」。我以為，傳統文化創造性轉化和創新性發展的一個重要方面，就是國學傳播方式的現代表達。中央電視臺《中國詩詞大會》節目大獲成功就是一個重要例證。

以往的國學經典傳播，大多是「原文＋註解＋翻譯＋點評」的模式。一些研究性著述引經據典，章節繁複，不厭其詳，未能考慮網路時代「90後」「00後」讀者的感受。與傳統的國學經典表達和傳播方式相比，萬安培先生主編的這套《國學經典故事》，至少具有以下三個特點：

第一是短小精悍，通俗易懂。從國學經典中選取情節精彩的篇章，以短小精悍的故事形式呈現，既保留了國學精華，又便於閱讀記憶，還可進一步培養讀者閱讀經典原著的興趣。

第二是系統全面。這套叢書上起先秦，下迄清末，含括了中國上下數千年主要國學經典著作，計劃收錄故事兩萬個以上。從目前已完成的春秋戰國卷約兩千八百個故事來看，這應該是一個較大的系統工程。《國學經典故事》的出版問世，將是國學經典普及的大事和幸事。

第三是生動活潑，寓教於樂。《國學經典故事》致力於發掘國學經典中膾炙人口、發人深省的內容，以講故事的形式傳播國學，實施倫理道德教化，受眾面更寬，能充分發揮優秀傳統文化滋養社會主義核心價值觀的功能。以往一說起國學經典，人們很自然聯想到枯燥的「之乎者也」，現在改為輕鬆快樂講故事，各個年齡層次和文化結構的人應該都會喜聞樂見。

二〇一七年一月二十五日，中共中央辦公廳和國務院辦公廳聯合印發了《關於實施中華優秀傳統文化傳承發展工程的意見》，其中特別提到要深入闡發中華優秀文化精髓，創新表達方式，編纂出版系列文化經典，綜合運用大眾傳播、群體傳播、人際傳播等方式，構建全方位、多層次、寬領域的中華文化傳播格局，推動中外文化交流，助推中華優秀傳統文化的國際傳播。萬安培先生策劃推出的《國學經典故事》系列，與該意見精神高度吻合。目前他們正策劃將國學經典故事精華譯成外文出版，爭取將其作為中外文化交流的禮品書，期待國學經典像《格林童話》《安徒生童話》《伊索寓言》一樣傳遍世界，造福全人類。相信廣大讀者對這類助推中華優秀傳統文化國際傳播的嘗試和努力，一定會給予充分肯定和大力支持。

萬安培先生是經濟學專業博士，長期在金融部門工作，但他醉心文史，嘗試國學經典傳播方式的現代表達。二〇一六年四月他推出「楚楚動人網」微信公眾號，每天發表以國學經典故事為背景的短論，很受讀者歡迎。作為企業界人士，能在繁忙的工作之餘堅持國學研究，專注於經典傳播，其精神令人感動，而他這種創新的國學經典傳播方式也值得稱許，這也是我很樂意為叢書作序的原因所在。衷心希望這套叢書能得到社會各界人士的喜愛，達到編纂者所希望的效果。

是為序。

郭齊勇

二〇一八年二月二十三日

目錄

❖ 序言

◈ 秦國卷 —— 101

周朝卷

周朝自周武王姬發西元前一〇四六年滅商紂立國，到西元前二四九年為秦所滅，共傳三十代、三十七王，計約八百年。從武王至幽王，史稱西周；自西元前七七〇年平王東遷，史稱東周。東周時期又分為「春秋」（西元前770年至西元前476年）與「戰國」（西元前475年至西元前221年）兩個時期。西元前三六七年，周王室內亂，京畿之內分出東周、西周，「二周」以伊洛河交匯處為界，西部屬西周都王城，東部屬東周都鞏。「二周」分別於西元前二五六年、前二四九年為秦軍所滅。*

* 本書所有前言部分有關周朝紀年，均以二〇〇〇年公布的《夏商周斷代工程1996-2000年階段成果報告（簡本）》為依據。

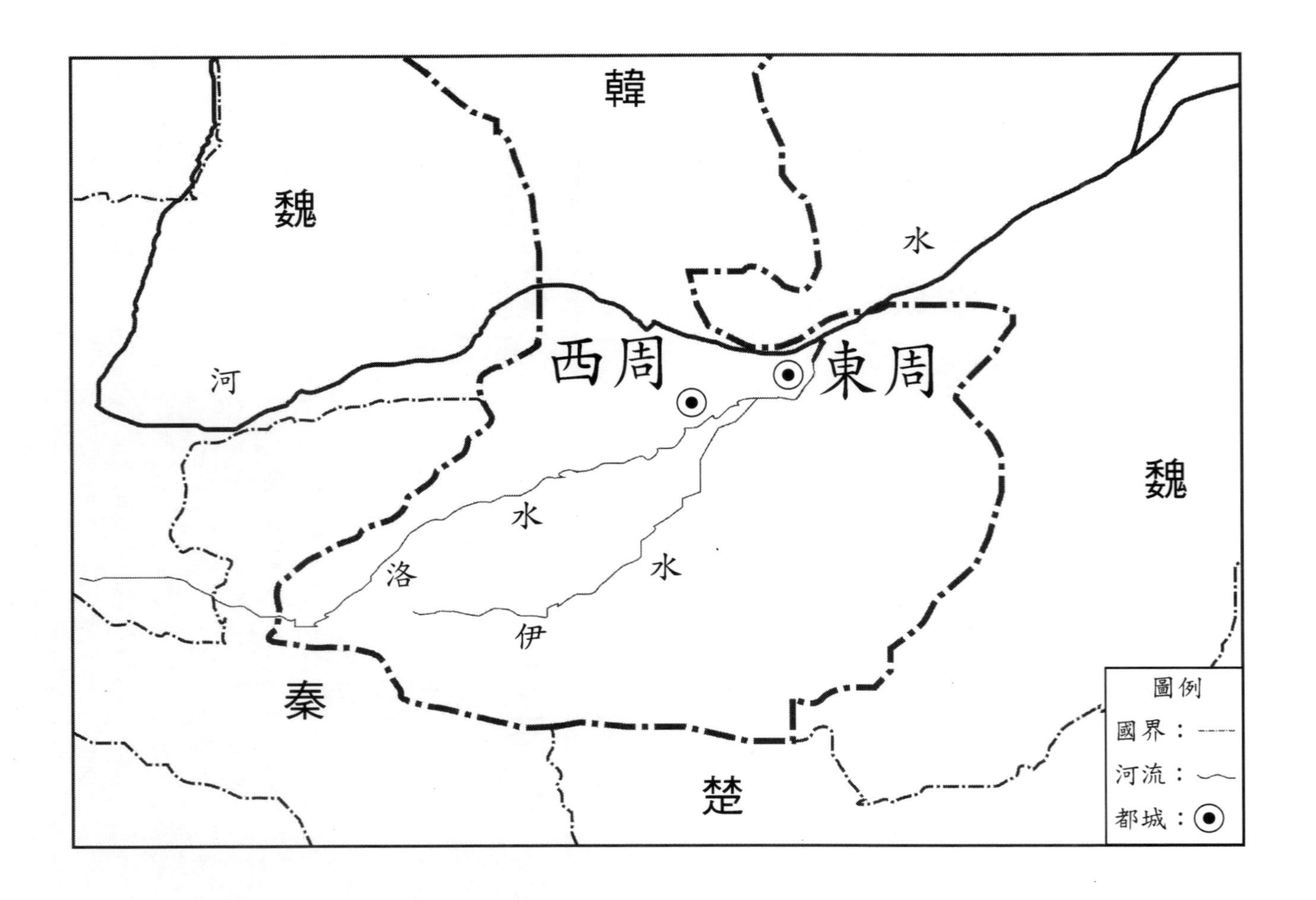
韓
魏
水
河
西周
東周
魏
水
洛
水
伊
秦
楚
圖例
國界：
河流：
都城：

播時百穀

棄還是個孩子的時候，就高大勇武，有巨人的志向。他最喜歡的遊戲是栽麻種豆，種下去的作物都長得茁壯茂盛。長大成人後他愛上了種莊稼，能根據土地的栽培特性，選擇適宜的穀物種植培養，百姓都仿傚他的方法。帝堯聽說了，便推舉他為農藝師，天下百姓因此受益，棄有功勞。帝舜感嘆說：「棄啊，過去老百姓忍飢挨餓，是你教會了他們播種百穀。」於是封棄於邰，號稱「后稷」，另以姬為姓。后稷興起於陶唐、虞和夏，歷代都傳頌他的美德。

【出處】

棄為兒時，屹如巨人之志。其遊戲，好種樹麻、菽，麻、菽美。及為成人，遂好耕農，相地之宜，宜穀者稼穡焉，民皆法則之。帝堯聞之，舉棄為農師，天下得其利，有功。帝舜曰：「棄，黎民始飢，爾后稷播時百穀。」封棄於邰，號曰「后稷」，別姓姬氏。后稷之興在陶唐、虞、夏之際，皆有令德。（《史記》〈周本紀〉）

未暇天下

堯把天下讓給子州支父，子州支父回答說；「讓我做天子是可以的。雖然如此，但我現在患有憂鬱病，正要治療，沒有餘暇顧及天下。」天子的寶座固然珍貴，聖人卻不因為要得到它而危害自已的生命，更何況其他的東西呢？只有不因天下而危害生命的人，才可以把天下託付給他。

【出處】

堯以天下讓於子州支父，子州支父對曰：「以我為天子猶可也。雖然，我適有幽憂之病，方將治之，未暇在天下也。」天下，重物也，而不以害其生，又況於他物乎？惟不以天下害其生者也，可以托天下。（《呂氏春秋》〈仲春紀・貴生〉）

知舜之賢

堯想把天下傳給舜。鯀勸諫說：「這不吉利啊！誰會把天下傳給平民呢？」堯不聽，起兵在羽山郊外殺死了鯀。共工又勸諫說：「誰會把天下傳給平民呢？」堯不聽，又起兵在幽州都城殺死了共工。於是天下再沒人提出異議。孔子聽到後說：「堯知道舜的賢明並不困難，殺死勸阻的人再傳位給舜，卻是困難的事情。」或者說：「不因進諫者提出疑問而動搖自己的明察，則是困難的事情。」

【出處】

堯欲傳天下於舜。鯀諫曰：「不祥哉！孰以天下而傳之於匹夫乎？」堯不聽，舉兵而誅殺鯀於羽山之郊。共工又諫曰：「孰以天下而傳之於匹夫乎？」堯不聽，又舉兵而流共工於幽州之都。於是天下莫敢言無傳天下於舜。仲尼聞之曰：「堯之知舜之賢，非其難者也。夫至乎誅諫者，必傳之舜，乃其難也。」一曰：「不以其所疑敗其所

察，則難也。」（《韓非子》〈外儲說右上第三十四〉）

先德後武

三苗不肯歸服，禹請求以武力攻打，舜說：「不如以德政感化。」實行德政三年，三苗就歸服了。孔子評價這件事說：「感知到道德的力量，即使孟門、太行山也算不得險峻；推行德政的感召力，比驛車傳遞命令的速度還快。」周朝的朝堂上，一向是把禮樂擺放在前，武器陳設在後，以表示先施行德教再使用武力。舜大概就是這樣做的，他不輕易動用武力的理念也影響到周朝。

【出處】

三苗不服，禹請攻之，舜曰：「以德可也。」行德三年，而三苗服。孔子聞之，曰：「通乎德之情，則孟門、太行不為險矣。故曰德之速，疾乎以郵傳命。」周明堂金在其後，有以見先德後武也。舜其猶此乎！其臧武通於周矣。（《呂氏春秋》〈離俗覽・上德〉）

聖人德化

歷山一帶的農民相互侵占田界，舜就到那裡種田；一年後，各自的田界都恢復了正常。黃河邊的漁民相互爭奪水中的高地，舜就到那裡打漁；一年後，大家都禮讓年長的人。東夷的陶工製作的陶器質量粗劣，舜就到那裡製陶；一年後，大家製出的陶器質量很好。孔子讚嘆說：「種田、打漁和製陶，都不是舜的職責；舜去那些地方幹活，是為了糾正敗壞的風氣。舜能親力而為使民眾都聽從於他，聖人的道德真的能感化人啊！」

【出處】

歷山之農者侵畔，舜往耕焉，期年，甽畝正。河濱之漁者爭坻，舜往漁焉，期年而讓長。東夷之陶者器苦窳，舜往陶焉，期年而器牢。仲尼嘆曰：「耕、漁與陶，非舜官也，而舜往為之者，所以救敗也。舜其信仁乎！乃躬藉處苦而民從之。故曰：聖人之德化乎！」（《韓非子》〈難一第三十六〉）

先道後德

君主不行君道，國土就會遭人侵犯。在國內執政失德，壞名聲就會傳遍國外。百仞高的松樹，下面的根部受傷，上面的枝葉就會乾枯。商、周兩代末世，國君心胸無謀，政令自然受困。五帝先行道而後施德，因而德行完美；三王把教化放在首位，把刑罰放在次位，因而功業穩固；五霸先禮後兵，軍隊因而強大。當今世上，各種詭計一齊實施，奸詐騙術接連使用，攻戰不止，國家敗亡，君主受辱的事越來越多，其原因就在於他們捨本逐末啊。夏后相啟同有扈氏在甘澤交戰，沒有取勝。六卿請求再戰，夏后相啟說：「不能再戰了。我的國土並不小，人民也不少，交戰卻不能取勝，這是由於我德行淺薄、教化不善的緣故啊！」於是夏后相啟簡居陋食，琴瑟不設，鐘鼓不列，子女們穿著打扮簡樸，又親近親族，敬愛長者，尊重賢人，任用能士。一年之後，有扈氏就歸服了。因此，想要戰勝別人，先要戰勝自己；想要評論別人，先要估量自己；想要瞭解別人，先要認識自己。

【出處】

故上失其道，則邊侵於敵；內失其行，名聲墮於外。是故百仞之松，本傷於下而末槁於上；商、周之國，謀失於胸，令困於彼。故心得而聽得，聽得而事得，事得而功名得。五帝先道而後德，故德莫盛焉；三王先教而後殺，故事莫功焉；五伯先事而後兵，故兵莫強焉。當今之世，巧謀並行，詐術遞用，攻戰不休，亡國辱主愈眾，所事者末也。夏后相啟與有扈戰於甘澤而不勝。六卿請復之，夏后相啟曰：「不可。吾地不淺，吾民不寡，戰而不勝，是吾德薄而教不善也。」於是乎處不重席，食不貳味，琴瑟不張，鐘鼓不修，子女不飭，親親長長，尊賢使能。期年而有扈氏服。故欲勝人者，必先自勝；欲論人者，必先自論；欲知人者，必先自知。（《呂氏春秋》〈季春紀‧先己〉）

破斧之歌

夏后氏孔甲在東陽萯山打獵，天突然颳起大風，天色昏暗，孔甲辨不清方向，走進一戶百姓的家裡。這戶人家正在生孩子。有人說：「君主到來，這是好日子啊，這孩子將來一定會大吉大利。」有人說：「怕是擔當不起這個福分吧，這孩子將來一定會遭殃。」孔甲把這個孩子帶回宮中，說：「讓他做我的兒子，誰還敢害他？」孩子長大成人了，一次帳幕掀動，屋椽裂開，斧子掉下來砍斷了他的腳，後來只能做守門之官。孔甲嘆息說：「唉！發生了這種災難，是命裡注定吧！」於是創作出《破斧》之歌，這是最早的東方音樂。

【出處】

夏后氏孔甲田於東陽萯山。天大風，晦盲，孔甲迷惑，入於民室。主人方乳，或曰：「後來，是良日也，之子是必大吉。」或曰：「不勝也，之子是必有殃。」後乃取其子以歸，曰：「以為余子，誰敢殃之？」子長成人，幕動坼橑，斧斫斬其足，遂為守門者。孔甲曰：「嗚呼！有疾，命矣夫！」乃作為「破斧」之歌，實始為東音。（《呂氏春秋》〈季夏紀．音初〉）

穀生於庭

成湯在位的時候，庭院裡生出一棵奇異的穀子，黃昏時萌芽，第二天天亮時已經長到兩手合圍那麼粗了。湯的臣下請求占卜異穀出現的原因。湯辭退占卜的臣子說：「我聽說，吉祥的事物是福的先兆，但是遇到吉兆卻不做善事，福仍然不會降臨；怪異的事物是災禍的先兆，遇到怪異多做善事，災禍也會消除。」於是他起早貪晚，勤於政事，探問病人，弔唁死者，四出安撫百姓。三天之後，庭中的異穀消失了。所以說：禍是福所倚存的東西，福是禍所隱藏的處所。這個道理只有聖人明白，一般人哪裡會知道事物轉化的道理呢？

【出處】

故成湯之時，有穀生於庭，昏而生，比旦而大拱。其吏請卜其故。湯退卜者曰：「吾聞祥者福之先者也，見祥而為不善，則福不至。妖者禍之先者也，見妖而為善，則禍不至。」於是早朝晏退，問疾弔喪，務鎮撫百姓。三日而穀亡。故禍兮福之所倚，福兮禍之所伏。聖人所獨見，眾人焉知其極？（《呂氏春秋》〈季夏紀・制樂〉）

務光投河

商湯滅了夏桀，但怕天下人說自己貪心，於是把王位讓給務光。又怕務光真的接受，就派人勸告務光說：「商湯想把殺死君主的壞名聲轉嫁給你，所以才把天下讓給你。」務光因此投河自盡。

【出處】

湯以伐桀，而恐天下言己為貪也，因乃讓天下於務光，而恐務光之受之也，乃使人說務光曰：「湯殺君，而欲傳惡聲於子，故讓天下於子。」務光因自投於河。（《韓非子》〈說林上第二十二〉）

仁人之君

當初，大王以豳為都邑時，狄人經常前來侵犯，大王把毛皮和繒帛送給狄人，還是不能免於被侵犯；又用珠玉去討好狄人，也不能倖免。於是，大王囑咐族中的老人說：「狄人想要的是我們的土地。我聽說，君子不會因為貪圖養人的土地而害人。你們何必擔心沒有君主呢？」於是獨自帶著大姜離開了豳地。翻越梁山後，他們在岐山下建立了都邑。豳人說：「到哪兒去找仁慈的君主」於是，跟隨大王到岐山下的豳人像趕集的一樣多。上天幫助周人，民眾叛離殷朝，這種情況由來已久。像這樣還不能稱王於天下的，從來都沒有過。

【出處】

初，大王都豳，翟人侵之，事之以皮幣，不得免焉，事之以珠玉，不得免焉。於是屬耆老而告之，所欲吾土地。吾聞之君子不以所養而害人，二三子何患乎無君？遂獨與大姜去之，踰梁山，邑於岐山之下。豳人曰：「仁人之君，不可失也。」從之如歸市焉。天之與周，民之去殷久矣。若此而不能天下，未之有也。（《孔子家語》卷二〈好生〉）

積善累德

崇侯虎在殷紂王面前講西伯的壞話說：「西伯行善積德，諸侯都親附於他，這對天子不利啊。」於是紂王把西伯囚禁在羑里。閎夭等人很擔心，於是以有莘氏的美女、驪戎的彩色駿馬、有熊氏的九駟車駕，以及其他種種珍奇玩好，通過殷紂王的寵臣費仲獻給紂王。紂王大喜說：「隨便一件禮物就足以釋放西伯了，何況有這麼多。」於是赦免了西伯，賜給他弓箭斧鉞，使西伯有征伐其他小國的特權。又告訴他說：「說你壞話的人是崇侯虎。」西伯向紂王獻上洛水以西的土地，請求廢去炮烙的刑罰，紂王答應了他。

【出處】

崇侯虎譖西伯於殷紂曰：「西伯積善累德，諸侯皆向之，將不利於帝。」帝紂乃囚西伯於羑里。閎夭之徒患之。乃求有莘氏美女，驪戎之文馬，有熊九駟，他奇怪物，因殷嬖臣費仲而獻之紂。紂大說，曰：「此一物足以釋西伯，況其多乎！」乃赦西伯，賜之弓矢斧鉞，使西伯得征伐。曰：「譖西伯者，崇侯虎也。」西伯乃獻洛西之地，以請紂去炮烙之刑。紂許之。（《史記》〈周本紀〉）

小心翼翼

紂王暴虐無道，殺死梅伯做成肉醬，殺死鬼侯做成肉乾，在宗廟裡宴請諸侯。文王流淚嘆息。紂王擔心他背叛自己，想殺死文王滅掉周國。文王說：「父親雖然無道，兒子敢不侍奉父親嗎？君主雖然苛刻，臣子敢不侍奉君主嗎？我怎麼會背叛君主呢？」紂王於是赦免了他。天下人聽說了這件事，認為文王畏懼君主而體恤下臣，所以《詩經》中說：「就是這個周文王，言行小心翼翼，心地光明侍奉上帝，因而得來大福大吉。」

【出處】

昔者紂為無道，殺梅伯而醢之，殺鬼侯而脯之，以禮諸侯於廟。

文王流涕而咨之。紂恐其畔，欲殺文王而滅周。文王曰：「父雖無道，子敢不事父乎？君雖不惠，臣敢不事君乎？孰王而可畔也？」紂乃赦之。天下聞之，以文王為畏上而哀下也。《詩》曰：「惟此文王，小心翼翼。昭事上帝，聿懷多福。」[1]（《呂氏春秋》〈恃君覽・行論〉）

見小曰明

從前紂王製作象牙筷子，箕子就心生憂慮，認為使用象牙筷子一定不會再用陶土燒製的菜碗，而會配合使用犀牛角或寶玉製作的杯子；象牙筷子和玉杯一定不會用來吃豆類食品熬煮的菜湯，一定要吃犛牛、大象、豹子的胚胎；吃犛牛、大象、豹子的胚胎就再也不會穿粗布衣服，不會蹲在茅屋裡吃東西，一定要穿華美錦緞衣服，住寬敞的房子，坐高高的土臺。箕子害怕事情的後果嚴重，所以為這樣的開端擔憂。過了五年，紂王設肉林酒池，建炮烙之刑，最終因此喪身。箕子看見象牙筷子就預感到未來的災禍，所以《老子》說：「能夠看到事物細微的苗頭，就叫作明智。」

【出處】

昔者紂為象箸而箕子怖，以為象箸必不加於土鉶，必將犀、玉之杯；象箸玉杯必不羹菽藿，必旄、象、豹胎；旄、象、豹胎必不衣短

1. 「惟此文王，小心翼翼。昭事上帝，聿懷多福。」出自《詩經》〈大雅・大明〉。

褐而食於茅屋之下，則錦衣九重，廣室高臺。吾畏其卒，故怖其始。居五年，紂為肉圃，設炮烙，登糟丘，臨酒池，紂遂以亡。故箕子見象箸以知天下之禍。故曰：「見小曰明。」（《韓非子》〈喻老第二十一〉《韓非子》〈說林上第二十二〉）

懼以失日

商紂王不分晝夜地飲酒作樂，因狂歡竟然忘記了日期。問他身邊的人，都不知道。於是派人去問箕子。箕子對隨從說：「作為天子，自己和身邊的人連日期都忘了，國家已經很危險了。大家都不知道而我知道。我也很危險了。」於是推說喝醉了酒，也不知道今天是什麼日子。

【出處】

紂為長夜之飲，懼以失日，問其左右，盡不知也。乃使人問箕子。箕子謂其徒曰：「為天下主而一國皆失日，天下其危矣。一國皆不知而我獨知之，吾其危矣。」辭以醉而不知。（《韓非子》〈說林上第二十二〉）

西伯昌賢

費仲勸諫商紂王說：「西伯姬昌很賢能，老百姓都喜歡他，諸侯也依附他，此人不能不殺；如果不殺，將來一定會禍亂商朝。」紂王說：「按你的說法，姬昌是講仁義的君主，怎麼能殺呢？」費仲說：「帽子雖然破舊，一定是戴在頭上；鞋子雖然光鮮，終歸要踩到腳下。西伯姬昌身為臣子，修行仁義而人心歸附，終將成為天下的禍患，他一定會昌盛！臣子不竭盡所能為君主效力，不可不殺；況且君主殺臣子，又有什麼過錯呢？」商紂王說：「仁義是君主用來勉勵臣下的。姬昌愛好仁義，不能殺他啊。」再三勸說紂王不聽，商朝終於滅亡了。

【出處】

費仲說紂曰：「西伯昌賢，百姓悅之，諸侯附焉，不可不誅；不誅，必為殷禍。」紂曰：「子言，義主，何可誅？」費仲曰：「冠雖穿弊，必戴於頭；履雖五采，必踐之於地。今西伯昌，人臣也，修義而人向之，卒為天下患，其必昌乎！人人不以其賢為其主，非可不誅也。且主而誅臣，焉有過？」紂曰：「夫仁義者，上所以勸下也。今昌好仁義，誅之不可。」三說不用，故亡。（《韓非子》〈外儲說左下第三十三〉）

負石沉河

申徒狄對現實絕望，打算投河自盡。崔嘉得知消息，就去勸阻他說：「我聽說天下的聖賢仁人，就是芸芸眾生的父母，假如因為顧忌兩腳沾泥，就不去搭救落水的人，怎麼行呢？」申徒狄說：「不是這樣的。從前夏桀殺死關龍逄，商紂殺死王子比干而葬送天下；吳國殺伍子胥，陳國殺洩治而國家滅亡。當時並不是沒有聖賢智者，只是因為不重用他們罷了。」終於還是抱著石頭跳河自殺了。君子評論此事說：「這只是潔身自好而已，至於仁德和智慧，還沒從他身上看到。」《詩經》說：「天命如此，有什麼辦法？」說的就是這類事吧。

【出處】

申徒狄非其世，將自投於河，崔嘉聞而止之曰：「吾聞聖人仁士之於天地之間，民之父母也，今為濡足之故，不救溺人，可乎？」申徒狄曰：「不然。昔者，桀殺關龍逢[2]，紂殺王子比干而亡天下；吳殺子胥，陳殺洩治而滅其國。故亡國殘家，非無聖智也，不用故也。」遂負石沈於河。君子聞之曰：「廉矣乎，如仁與智，吾未見也。」《詩》曰：「天實為之，謂之何哉？」[3]此之謂也。（《新序》〈節士第七〉）

禮下賢者

公季死了，他的兒子昌即位，昌就是西伯，也就是後來的周文王。他繼承后稷、公劉的事業，遵照古公、公季的法則，篤行仁義，尊老愛幼。文王能屈尊對待賢才，為了接待士人，常常到中午還顧不上吃早飯，士人紛紛來投奔他。伯夷、叔齊在孤竹國聽說西伯尊敬老人，一起來投奔他。太顛、閎夭、散宜生、鬻子、辛甲大夫等人也紛

---

2. 關龍逄，一作關龍逢，「逄」，同「逢」。夏桀時大臣，因忠諫而被桀所殺。

3. 據《莊子》〈盜跖〉，申徒狄為殷末人，因屢勸君王不聽，而跳河自殺。崔嘉生平不詳。該故事時代有誤。「天實為之，謂之何哉」，出自《詩經》〈邶風・北門〉。

紛來投奔他。

【出處】

公季卒，子昌立，是為西伯。西伯曰文王，遵后稷、公劉之業，則古公、公季之法，篤仁，敬老，慈少。禮下賢者，日中不暇食以待士，士以此多歸之。伯夷、叔齊在孤竹，聞西伯善養老，盍往歸之。太顛、閎夭、散宜生、鬻子、辛甲大夫之徒皆往歸之。（《史記》〈周本紀〉）

善人以人

賢良之士與人親善是因為對方的仁德，一般人與人親善是因為對方的能力，不肖的人與人親善是看中了對方的財富。得到十匹千里馬，不如得到一個伯樂；得到十把寶劍，不如得到一個歐冶；得到千里土地，不如得到一個聖人。舜帝得到皋陶而天下大治；湯得到伊尹而擁有夏民；周文王得到呂望而征服殷商。得到聖人的價值，又豈是土地可以丈量的呢？

【出處】

賢者善人以人，中人以事，不肖者以財。得十良馬，不若得一伯樂；得十良劍，不若得一歐冶；得地千里，不若得一聖人。舜得皋陶而舜授之，湯得伊尹而有夏民，文王得呂望而服殷商。夫得聖人，豈有里數哉？（《呂氏春秋》〈不苟論・贊能〉）

周人所恥

西伯為人善良公正，諸侯都來請他裁決爭端。虞、芮兩國發生爭執互不相讓，於是前往周國請求裁決。兩國代表進入周國境內，看到種田的人都互讓田界，人們都以謙讓長者為美德。兩國代表還沒見到西伯，內心已感到羞愧，相互說：「我們爭得面紅耳赤，周人卻引以為恥，還去幹什麼呢？去了也是丟人現眼，自取其辱啊。」於是折返回國，互相謙讓而去。諸侯聽說後，都誇耀西伯是受命於天的君主。

【出處】

西伯陰行善，諸侯皆來決平。於是虞、芮之人有獄不能決，乃如周。入界，耕者皆讓畔，民俗皆讓長。虞、芮之人未見西伯，皆慚，相謂曰：「吾所爭，周人所恥，何往為，祇取辱耳。」遂還，俱讓而去。諸侯聞之，曰「西伯蓋受命之君」。（《史記》〈周本紀〉）

澤及髊骨

周文王派人挖掘池塘，挖出一具人的屍骨，官吏把此事稟告給文王，文王說：「重新安葬他吧。」官吏說：「這是一具無主的屍骨啊。」文王說：「擁有天下者，就是天下的主人；擁有一國者，就是一國的主人。現在我不就是這死者的主人嗎？」於是命令將死者入殮，重新安葬。百姓們得知這件事，都稱讚說：「文王真是個賢君啊！他的恩德惠及死者，更何況活人呢？」有的君主想方設法聚斂財物，國家卻陷入災難；文王得到朽骨，卻能借它宣示自己的仁德。所以，在聖人看來，萬物都可以加以利用。

【出處】

周文王使人扫池，得死人之骸。吏以聞於文王，文王曰：「更葬之。」吏曰：「此無主矣。」文王曰：「有天下者，天下之主也；有一國者，一國之主也。今我非其主也？」遂令吏以衣棺更葬之。天下聞之曰：「文王賢矣！澤及髊骨，又況於人乎？」或得寶以危其國，文王得朽骨以喻其意，故聖人於物也無不材。（《呂氏春秋》〈孟冬紀・異用〉）

以信為管

夙沙國的人民殺死自己的君主來歸附神農氏；密須國的民眾捆綁自己的君主來投奔周文王。商湯、周武王不僅能驅使本國的人民，還能號令其他國家的民眾。能役使他國的民眾，國家雖小，士兵雖少，仍然可以建功立業。歷史上有很多從平民一躍而成為天下之主的，這是因為他們大多能號令別國的民眾追隨自己。別國的民眾為什麼會聽命於他？不能不認真追究啊。夏、商、周三代的成功之道都是一樣，就是堅持以誠信為本。

【出處】

夙沙之民，自攻其君而歸神農。密須之民，自縛其主而與文王。

湯、武非徒能用其民也，又能用非己之民。能用非己之民，國雖小，卒雖少，功名猶可立。古昔多由布衣定一世者矣，皆能用非其有也。用非其有之心，不可察之本。三代之道無二，以信為管。（《呂氏春秋》〈離俗覽・用民〉）

欲得民心

文王住在岐山臣事紂王，雖然遭受冤屈侮辱，仍然表現得溫雅恭順，早晚準時朝拜，從不遲到。進獻的貢物都經過精心挑選，很符合紂王的心意，每逢祭祀也顯得格外虔誠。紂王非常高興，於是封他為西伯，賞給他縱橫千里的土地。文王再三拜謝說：「我不要賞賜土地，只願意替人民請求您廢除炮烙之刑。」文王並不是厭惡縱橫千里的土地，用它替人民請求廢除炮烙之刑，為的是博取民心。得到民心，遠勝過獲得縱橫千里的土地，這就是文王的智慧。

【出處】

文王處岐事紂，冤侮雅遜，朝夕必時，上貢必適，祭祀必敬。紂喜，命文王稱西伯，賜之千里之地。文王載拜稽首而辭曰：「願為民請炮烙之刑。」文王非惡千里之地，以為民請炮烙之刑，必欲得民心也。得民心則賢於千里之地，故曰文王智矣。（《呂氏春秋》〈季秋紀・順民〉）

改行重善

周文王即位八年了。這年六月，文王生病，臥病在床五天後國都發生地震，震中就在城內。百官於是請求說：「地震肯定跟君主有關，得想辦法破解啊！」文王問說：「怎樣破解呢？」回答說：「發動民眾來增築國都的城牆，應該就可以把災禍移走吧。」文王說：「這樣不行。上天出現異象，是藉以懲罰有罪的人。我肯定有過錯，所以老天爺藉機懲罰我。如今為此徵發勞役增修城牆，等於是加重我的罪過。不如我自己認真反省，改過從善，這樣也許可以移除災禍吧。」於是慎重對待禮法、聘問以結交諸侯；整飭辭令、幣帛以禮賢下士；頒布爵位、等級、田地等以賞賜群臣。沒過多久，文王的病就好了，繼續在位四十三年後去世。文王頭腦清醒，平息禍殃、移除怪異的方式是多麼得當啊！

【出處】

周文王立國八年，歲六月，文王寢疾五日而地動，東西南北不出國郊。百吏皆請曰：「臣聞地之動，為人主也。今王寢疾五日而地動，四面不出周郊，群臣皆恐，曰『請移之』。」文王曰：「若何其移之也？」對曰：「興事動眾，以增國城，其可以移之乎！」文王曰：「不可。夫天之見妖也，以罰有罪也。我必有罪，故天以此罰我也。今故興事動眾以增國城，是重吾罪也。不可。」文王曰：「昌也請改行重善以移之，其可以免乎！」於是謹其禮秩、皮革，以交諸侯；飭其辭令、幣帛、以禮豪士；頒其爵列、等級、田疇，以賞群臣。無幾

改行重善

何，疾乃止。文王即位八年而地動，已動之後四十三年，凡文王立國五十一年而終。此文王之所以止殃翦妖也。(《呂氏春秋》〈季夏紀・制樂〉)

瑞自太王

西伯在位大約五十年的樣子。當他被紂王囚禁在羑里的時侯，就把《易經》裡的八卦推演為六十四卦。從《詩經》作者對西伯的稱頌來看，似乎西伯是在裁決虞、芮兩國訟事的那一年稱王的。十年後去世，謚為文王。文王修改法度，制定正朔。追尊古公為太王，公季為王季，大概是因為稱王的吉兆是從太王時開始的吧。

【出處】

西伯蓋即位五十年。其囚羑里，蓋益《易》之八卦為六十四卦。《詩》人道西伯，蓋受命之年稱王而斷虞芮之訟。後十年而崩，謚為「文王」。改法度，制正朔矣。追尊古公為「太王」，公季為「王季」：蓋王瑞自太王興。(《史記》〈周本紀〉)

周有玉版

周人擁有一塊玉版，殷紂王派膠鬲前往索取，文王不給；派費仲前往索求，文王卻給了他。這是因為膠鬲賢達而費仲沒有德行。周人不願意賢人在殷朝得志，所以把玉版給了費仲。周文王在渭水邊提拔太公，那是尊重他；把玉版送給費仲，是看中他得志後可以擾亂殷紂。所以《老子》說：「不尊重老師，不愛惜可以利用的資源，雖則聰明，也是大糊塗蛋，這就叫作奧妙。」

【出處】

周有玉版[4]，紂令膠鬲索之，文王不予；費仲來求，因予之。是膠鬲賢而費仲無道也。周惡賢者之得志也，故予費仲。文王舉太公於渭濱者，貴之也；而資費仲玉版者，是愛之也。故曰：「不貴其師，不愛其資，雖知大迷，是謂要妙。」[5]（《韓非子》〈喻老第二十一〉）

文王出地

從前，周文王侵占盂地、攻克莒地、奪取酆地，引起紂王的厭惡。文王很害怕，於是請求進獻洛水以西、赤壤一帶方圓千里的土地，以換取朝廷廢除炮烙之刑。天下人都很高興。孔子感嘆說：「文王真是仁慈，不看重方圓千里的土地而請求廢除炮烙之刑；文王真聰明啊，獻出方圓千里的土地卻贏得天下人的心。」

---

4. 玉版：據王子年《拾遺記》：「帝堯在位，聖德光洽，河洛之濱，得玉版方尺，圖天地之形。」或為河洛之濱所得的寶物。

5. 《韓非子》〈內儲說下六微第三十一〉載：「文王資費仲而遊於紂之旁，令之諫紂而亂其心。」

【出處】

昔者文王侵盂、克莒、舉酆，三舉事而紂惡之。文王乃懼，請入洛西立地、赤壤之國方千里，以請解炮烙之刑，天下皆說。仲尼聞之，曰：「仁哉文王！輕千里之國而請解炮烙之刑。智哉文王！出千里之地而得天下之心。」（《韓非子》〈難二第三十七〉）

今日安否

文王當太子的時候，每天三次到他父親王季那裡去請安。第一次是雞叫頭遍就穿好了衣服，來到父王的寢門外，問值班的內豎：「今天父王的一切都平安吧？」內豎回答：「一切平安。」聽到這樣的回答，文王就滿臉喜色。第二次是中午，第三次是傍晚，請安的儀節都和第一次一樣。如果王季身體欠安，內豎就會向文王稟告，文王聽說之後，就滿臉憂色，連走路都不能正常邁步。王季的飲食恢復如初，然後文王的神態才能恢復正常。每頓飯端上來的時候，文王一定要親自察看飯菜的冷熱；每頓飯撤下去的時候，文王一定要問吃了多少。同時交代掌廚的官員：「吃剩的飯菜不要再端上去。」聽到對方回答：「是。」文王才放心地離開。武王做太子時，就以文王做太子時的行為為榜樣，不敢有一點走樣。文王如果有病，武王就頭不脫冠衣不解帶地晝夜侍養。文王吃飯少，武王也就吃飯少；文王吃飯增多，武王也就隨著增多。十二天以後，文王的病也就好了。

【出處】

文王之為世子，朝於王季，日三。雞初鳴而衣服，至於寢門外，問內豎之御者曰：「今日安否何如？」內豎曰：「安。」文王乃喜。及日中，又至，亦如之。及莫，又至，亦如之。其有不安節，則內豎以告文王，文王色憂，行不能正履。王季復膳，然後亦復初。食上，必在，視寒暖之節，食下，問所膳；命膳宰曰：「末有原！」應曰：「諾。」然後退。武王帥而行之，不敢有加焉。文王有疾，武王不脫冠帶而養。文王一飯，亦一飯；文王再飯，亦再飯。旬有二日乃間。（《禮記》〈文王世子〉）

與我九齡

文王問武王道：「你做過什麼夢嗎？」武王答道：「我夢見天帝給我九齡。」文王說：「你認為這個夢是暗示什麼呢？」武王說：「西方還有九國尚未歸順，君王您大概最終要將他們占有吧。」文王說：「你理解得不對。古代把年也叫作齡，齒也是齡。我的壽限是一百，你的壽限是九十，我把我的壽限給你三年。」於是，文王活到九十七歲就死了，而武王活到九十三歲才死。

【出處】

文王謂武王曰：「女何夢矣？」武王對曰：「夢帝與我九齡。」文王曰：「女以為何也？」武王曰：「西方有九國焉，君王其終撫諸？」文王曰：「非也。古者謂年齡，齒亦齡也。我百爾九十，吾與爾三

焉。」文王九十七乃終，武王九十三而終。（《禮記》〈文王世子〉）

明堂不閉

周武王戰勝商紂，進入殷都，還沒有下車，就命令把黃帝的後代封到鑄，帝堯的後代封到黎，帝舜的後代封到陳。下車之後，又命令把大禹的後代封到杞，立成湯的後代為宋國國君，以承續桑林的祭祀。武王誠惶誠恐，嘆息流淚。命令周公旦請來殷商的遺老，請教殷商滅亡的原因，又問老百姓喜歡什麼，需要什麼。殷商的遺老回答說：「百姓希望恢復盤庚的政治。」武王於是恢復盤庚的政治，散發巨橋的米粟，施捨鹿臺的錢財，以此向百姓們表示自己沒有私心。而後釋放被拘禁的犯人，分發錢財，免除債務，救濟貧困。又派人加高比干的墳墓，修葺箕子的住宅，在商容的閭里豎起標誌，讓往來的行人車輛佇立致敬。坐朝僅僅三天，就把參與籌劃滅商的重臣封為諸侯，眾大夫也打賞了土地，普通的士人都予以任命並減免賦稅。做完這一切，武王才渡過黃河，回到豐鎬，到祖廟報功。接著馬放華山，牛投桃林，刀槍入庫，終身不再使用。這就是武王的仁德。周天子的明堂大門從不關閉，以向天下人表明沒有私藏。唯其沒有私藏，才能深得民心、藏公信於天下。

【出處】

武王勝殷，入殷，未下轝，命封黃帝之後於鑄，封帝堯之後於黎，封帝舜之後於陳。下轝，命封夏后之後於杞，立成湯之後於宋，以奉桑林[6]。武王乃恐懼，太息流涕，命周公旦進殷之遺老，而問殷之亡故，又問眾之所說，民之所欲。殷之遺老對曰：「欲復盤庚之政。」武王於是復盤庚之政，發巨橋之粟，賦鹿台之錢，以示民無私。出拘救罪，分財棄責，以振窮困。封比干之墓，靖箕子之宮，表商容之閭，士過者趨，車過者下。三日之內，與謀之士，封為諸侯，諸大夫賞以書社，庶士施政去賦。然後濟於河，西歸報於廟。乃稅馬於華山，稅牛於桃林，馬弗復乘，牛弗復服。釁鼓旗甲兵，藏之府庫，終身不復用。此武王之德也。故周明堂外戶不閉，示天下不藏也。唯不藏也，可以守至藏。（《呂氏春秋》〈慎大覽・慎大〉）

其亂至矣

周武王派斥候刺探殷商的動靜，斥候返回稟報說：「殷商出亂子了。」武王說：「亂到什麼程度？」斥候回答說：「朝廷中正不壓邪。」武王說：「還沒有亂到極點。」斥候再去刺探，回來稟報說：「亂得更狠了。」武王說：「亂到什麼程度？」斥候回答說：「有賢名的人都出逃了。」武王說：「還沒有亂到極點。」斥候又去刺探，回來稟報說：「亂得更厲害了！」武王問：「亂到什麼程度？」斥候回答說：「老百姓都不敢發牢騷了。」武王說：「啊！」趕忙把情況告訴太公望，太公望回答說：「正不壓邪稱之暴亂，賢人出逃稱之崩潰，老百姓不敢發洩不滿，說明刑法極為苛刻。殷商的混亂已到極點，無以復加了。」於是挑選戰車三百輛，勇士三千名，通告天下諸侯，以甲子

---

6. 桑林：相傳為成湯祈雨之地，此處有延續成湯香火之意。

日為期，兵至牧野，終於一舉擊敗商紂的軍隊。武王知道紂王不是自己的對手，但他仍然善於借用敵方的力量，耐心等待時機成熟。

【出處】

武王使人候殷，反報岐周曰：「殷其亂矣！」武王曰：「其亂焉至？」對曰：「讒慝勝良。」武王曰：「尚未也。」又復往，反報曰：「其亂加矣！」武王曰：「焉至？」對曰：「賢者出走矣。」武王曰：「尚未也。」又往，反報曰：「其亂甚矣！」武王曰：「焉至？」對曰：「百姓不敢誹怨矣。」武王曰：「嘻！」遽告太公，太公對曰：「讒慝勝良，命曰戮；賢者出走，命曰崩；百姓不敢誹怨，命曰刑勝。其亂至矣，不可以駕矣。」故選車三百，虎賁三千，朝要甲子之期，而紂為禽。則武王固知其無與為敵也。因其所用，何敵之有矣！（《呂氏春秋》〈慎大覽・貴因〉）

武王疾行

武王伐紂到達鮪水，殷商派膠鬲刺探周國的軍情。武王會見膠鬲，膠鬲問：「您這是要到哪裡去呢？請告訴我真話。」武王說：「我不瞞你，是要出征殷商。」膠鬲說：「哪一天到達？」武王說：「部隊將在甲子日到達殷都郊外。你趕快回去稟報吧！」膠鬲走後，天下起了連陰雨。武王命令部隊加速前進。軍官們都勸諫說：「士兵們很疲憊，讓他們休息休息吧。」武王說：「我已經讓膠鬲把甲子日到達殷都郊外的事稟報給他的君主了。如果不能按期到達，就會讓膠鬲喪失信用，他的君主一定會殺死他。我加速行軍，是為了救膠鬲的命啊。」部隊果然在甲子日到達殷都郊外。殷商的軍隊已擺好陣勢。武王到達後，兩軍交戰，結果把殷商打得大敗。這就是武王的仁義。武王的行為符合人性，紂王的行為違反人性，事先擺好陣勢又有什麼用？正好讓武王不戰而獲勝。

【出處】

武王至鮪水，殷使膠鬲候周師，武王見之。膠鬲曰：「西伯將何之？無欺我也！」武王曰：「不子欺，將之殷也。」膠鬲曰：「朅至？」武王曰：「將以甲子至殷郊，子以是報矣！」膠鬲行。天雨，日夜不休，武王疾行不輟。軍師皆諫曰：「卒病，請休之。」武王曰：「吾已令膠鬲以甲子之期報其主矣，今甲子不至，是令膠鬲不信也。膠鬲不信也，其主必殺之。吾疾行，以救膠鬲之死也。」武王果以甲子至殷郊，殷已先陳矣。至殷，因戰，大克之。此武王之義也。人為人之所欲，已為人之所惡，先陳何益？適令武王不耕而獲。（《呂氏春秋》〈慎大覽・貴因〉）

吾國之妖

武王戰勝殷商之後，抓到兩個俘虜，問他們說：「你們國家有什麼怪異的事情嗎？」一個回答說：「有啊，白天看見星星，天上下起血雨，這就是我們國家出現的怪異之事。」另一個回答說：「這還算不上非常怪異。兒子不順從父親，弟弟不服從兄長，君主的政令得不到實施，這才是最大的怪事啊！」武王聽了，連忙離開坐席向他行禮。這不是認為俘虜尊貴，而是覺得他的言論可貴。所以《周易》上說：「凡事戰戰兢兢，小心翼翼，就像踩著老虎尾巴一樣，一定會有好的結局。」

【出處】

武王勝殷，得二虜而問焉，曰：「若國有妖乎？」一虜對曰：「吾國有妖，晝見星而天雨血，此吾國之妖也。」一虜對曰：「此則妖也，雖然，非其大者也。吾國之妖甚大者，子不聽父，弟不聽兄，君令不行，此妖之大者也。」武王避席再拜之。此非貴虜也，貴其言也。故《易》曰：「愬愬履虎尾，終吉。」（《呂氏春秋》〈慎大覽・慎大〉）

日中為期

武王進駐殷都後，聽說有個德高望重的長者，就去拜訪他，向他請教殷商亡國的原因。長者回答說：「如果您想知道，明天日中之時請您再來。」第二天，武王和周公旦提前到達，長者卻沒有如期而至。武王感到奇怪，周公說：「我明白老人家的意思了。他真是個君子啊。不親近君主是他做人的準則，也不忍心講過去君主的壞話。約定好時間卻不如期赴約，是說話不守信用，這就是他所說的殷商亡國的原因啊！」

【出處】

武王入殷，聞殷有長者，武王往見之，而問殷之所以亡。殷長者對曰：「王欲知之，則請以日中為期。」武王與周公旦明日早要期，則弗得也。武王怪之，周公曰：「吾已知之矣。此君子也。取不能其主，有以其惡告王，不忍為也。若夫期而不當，言而不信，此殷之所以亡也，已以此告王矣。」（《呂氏春秋》〈慎大覽・貴因〉）

武王係墮

周武王統帥大軍伐紂，到達殷都郊外的時候，他的鞋帶散了。當時他身邊有五位輔臣，卻沒有任何人上前幫他繫上鞋帶。他們的理由是：「繫鞋帶並不在我們的職責範圍。」武王左手放下白羽，右手放下黃鉞，自己彎腰把鞋帶繫上。孔子評價此事說：「這正是五位大夫深得武王重用的原因，卻也是不肖君主不能容忍的。」所以天子有時候比不上小民，王者不如諸侯。

【出處】

武王至殷郊，係墮。五人御於前，莫肯之為，曰：「吾所以事君者，非係也。」武王左釋白羽，右釋黃鉞，勉而自為係。孔子聞之曰：「此五人者之所以為王者佐也，不肖主之所弗安也。」故天子有不勝細民者，天下有不勝千乘者。（《呂氏春秋》〈不苟論・不苟〉）

文王伐崇

周文王攻打崇國，到鳳黃墟的時候，他的襪帶散了，就自己繫好。姜太公說：「何苦親自繫襪帶呢？」文王說：「君主把上等人尊為老師，以中等人為朋友，視下等人為可以使喚的人。現在我周圍都是已故父王的舊臣，哪有可以使喚的人呢。」

【出處】

文王伐崇，至鳳黃虛，襪繫解，因自結。太公望曰：「何為也？」王曰：「上，君與處皆其師；中，皆其友；下，盡其使也。今皆先君之臣，故無可使也。」（《韓非子》〈外儲說左下第三十三〉）

何以治國

周武王將太公望封在齊國，周公旦封在魯國。兩位君主十分友好，在一起討論靠什麼治理國家。太公望說：「尊敬賢才，崇尚功績。」周公旦說：「親近親人，崇尚恩愛。」太公望說：「如果是這種思路，魯國恐怕會逐漸削弱。」周公旦說：「魯國雖然會削弱，但後世擁有齊國的，也肯定不是呂氏之後。」齊國後來日益強大，以致於稱霸諸侯，但傳位二十四世就被田氏取代。魯國的實力一直較弱，後來勉強維持，傳到三十四代，也被楚國所滅。

【出處】

呂太公望封於齊，周公旦封於魯，二君者，甚相善也。相謂曰：「何以治國？」太公望曰：「尊賢上功。」周公旦曰：「親親上恩。」太公望曰：「魯自此削矣。」周公旦曰：「魯雖削，有齊者，亦必非呂氏也。」其後，齊日以大，至於霸，二十四世而田成子有齊國。魯公以削，至於覲存，三十四世而亡。（《呂氏春秋》〈仲冬紀・長見〉）

國亦有染

墨子見人染絲，有感而發說：「放入青色染料，素絲就變成青色；放入黃色染料，素絲就變成黃色；染料變了，素絲的顏色也跟著變化，染五次就變出五種顏色。」所以，染色不可以不慎重啊。不僅染絲如此，國家也是一樣。舜受到許由、伯陽的薰染，禹受到皋陶、伯益的薰染，商湯受到伊尹、仲虺的薰染，武王受到太公望、周公旦的薰染。這四位帝王，因為所受的薰染得當，所以能統治天下，立為天子，功比天地。凡列舉天下的聖王，一例要推舉這四位帝王。夏桀受到干辛、岐踵戎的薰染，殷紂受到崇侯、惡來的薰染，周厲王受到虢公長父、榮夷終的薰染，周幽王受到虢公鼓、祭公敦的薰染。這四位君王，因為所受的薰染失當，結果國破身死，被天下人恥笑。凡說到天下不仁不義的君主，一例會列舉這四位君王。

【出處】

墨子見染素絲者而嘆曰：「染於蒼則蒼，染於黃則黃，所以入者變，其色亦變，五入而以為五色矣。」故染不可不慎也。非獨染絲然也，國亦有染。舜染於許由、伯陽，禹染於皋陶、伯益，湯染於伊尹、仲虺，武王染於太公望、周公旦。此四王者，所染當，故王天下，立為天子，功名蔽天地。舉天下之仁義顯人，必稱此四王者。夏桀染於干辛、岐踵戎，殷紂染於崇侯、惡來，周厲王染於虢公長父、榮夷終，幽王染於虢公鼓、祭公敦。此四王者，所染不當，故國殘身死，為天下僇。舉天下之不義辱人，必稱此四王者。（《呂氏春秋》〈仲春紀·當染〉）

以亂易暴

從前周朝崛起的時候，有兩位居住在孤竹國的賢士，名叫伯夷、叔齊，一起商量說：「聽說西方有個西伯，傳聞是個仁德之君，我們還待在這裡幹什麼呢？」於是出發西行投奔周國。走到岐山南麓的時候，傳來文王去世的消息。武王即位，宣揚周國的政德，派叔旦到四內去找膠鬲，跟他盟誓說；「為你增加三級俸祿，官居一等。」準備了三份盟書，文辭相同，把牲血塗在盟書上，一份埋在四內，朝廷和膠鬲各持一份。武王又派太保召公到共頭山下去見微子開，跟他盟誓說：「讓你世世代代為諸侯之長，供奉殷商的祖廟，履行桑林的祭祀，擁有孟諸的封地。」也是三份盟書，塗以牲血，一份埋在共頭山下，雙方各持一份。伯夷、叔齊聽到這些事，相視而笑道：「怎麼跟從前聽說的不大一樣呢？這不是我們理解的『道』。從前神農氏治理天下的時候，四時祭祀畢恭畢敬，然而並不祈福，對老百姓以忠信為懷，盡心治理而無所求；百姓盼望公正，就努力做到公正；百姓盼望太平，就努力實現太平；不利用別人的失敗謀求成功，不利用別人的卑微顯示高尚。如今周看到殷邪僻淫亂，便急急忙忙取而代之，這是崇尚計謀，藉助賄賂，倚仗武力，炫耀威勢。把殺牲盟誓當作誠信，憑藉四內和共頭的盟約來宣揚德行，宣揚武王滅商的夢兆來取悅百姓，依靠屠殺攻伐來攫取利益，使用這些手段來取代殷商，不過是以悖亂代替暴虐。聽說古代的賢士，太平之世不得意忘形，動亂之世不苟且偷生。如今天下黑暗，周德衰微。與其投靠周朝名節受污，不如遠離以保持我們清白的品行。」於是兩人離開周國北行，走到首陽山下，飢餓而死。

【出處】

昔周之將興也，有士二人，處於孤竹，曰伯夷、叔齊。二人相謂曰：「吾聞西方有偏伯焉，似將有道者，今吾奚為處乎此哉？」二子西行如周，至於岐陽，則文王已歿矣。武王即位，觀周德，則王使叔旦就膠鬲於次四內[7]，而與之盟曰：「加富三等，就官一列。」為三書，同辭，血之以牲，埋一於四內，皆以一歸。又使保召公就微子開於共頭之下，而與之盟曰：「世為長侯，守殷常祀，相奉桑林，宜私孟諸。」為三書，同辭，血之以牲，埋一於共頭之下，皆以一歸。伯夷、叔齊聞之，相視而笑曰：「嘻！異乎哉！此非吾所謂道也。昔者神農氏之有天下也，時祀盡敬而不祈福也；其於人也，忠信盡治而無求焉；樂正與為正，樂治與為治；不以人之壞自成也，不以人之庳

---

7. 四內：古地名。

自高也。今周見殷之僻亂也，而遽為之正與治，上謀而行貨，阻丘而保威也。割牲而盟以為信，因四內與共頭以明行，揚夢以說眾，殺伐以要利，以此紹殷，是以亂易暴也。吾聞古之士，遭乎治世，不避其任；遭乎亂世，不為苟在。今天下暗，周德衰矣。與其並乎周以漫吾身也，不若避之以潔吾行。」二子北行，至首陽之下而餓焉。（《呂氏春秋》〈季冬紀・誠廉〉）

周公攝政

成王接替王位的時候，年紀還小。天下初定，周公擔心諸侯背叛，便攝政主持國家大事。管叔、蔡叔等兄弟懷疑周公企圖篡位，於是勾結武庚作亂。周公奉成王之命，討伐武庚、管叔，流放蔡叔。用微子開代替武庚為殷的後代，被封於宋。又聚合了不少殷朝遺民，封武王的小弟弟康叔於衛。晉唐叔獲得吉祥的穀穗，獻給成王，成王把它送到周公的駐地。周公在東方接受嘉禾。當初，管叔、蔡叔背叛周室，周公討伐他們，用了三年時間才平定叛亂，所以最先作了《大誥》，其次作了《微子之命》，再次作了《歸禾》，再其次作了《嘉禾》，最後是《康誥》《酒誥》《梓材》，以上諸事皆見於《魯周公世家》。周公攝政七年，見成王已長大成人，這才還政成王，重新北面稱臣。

【出處】

成王少，周初定天下，周公恐諸侯畔周，公乃攝行政當國。管叔、蔡叔群弟疑周公，與武庚作亂，畔周。周公奉成王命，伐誅武庚、管叔，放蔡叔。以微子開代殷後，國於宋。頗收殷餘民，以封武王少弟封為衛康叔。晉唐叔得嘉穀，獻之成王，成王以歸周公於兵所。周公受禾東土，魯天子之命。初，管、蔡畔周，周公討之，三年而畢定，故初作《大誥》，次作《微子之命》，次《歸禾》，次《嘉禾》，次《康誥》《酒誥》《梓材》，其事在周公之篇。周公行政七年，成王長，周公反政成王，北面就群臣之位。(《史記》〈周本紀〉)

不言之聽

勝書問周公旦說：「朝廷內人多嘴雜，輕聲說您聽不到，大聲講別人會知道。是輕聲說呢，還是大聲說？」周公旦說：「輕聲說吧。」勝書說：「如今有件事情，隱晦地說不一定說得清楚，不說就辦不成。是隱晦地說呢，還是不說？」周公旦說：「不用說了。」勝書能以不說點撥周公，周公也能憑勝書的暗示聽懂他的意思。殷商雖然厭惡周，卻也挑不出毛病。嘴裡沒講，通過神情告知對方，紂雖然多心，也不知道周的計謀。眼睛看不到無形的事實，耳朵聽不到無聲的內容，殷商打探消息的人雖多，也不能窺知周的祕密。聽者與說者好惡一致，志趣相投，紂雖然貴為天子，也不能把他們隔斷。

【出處】

勝書說周公旦曰：「延小人眾，徐言則不聞，疾言則人知之。徐言乎，疾言乎？」周公旦曰：「徐言。」勝書曰：「有事於此，而精言之而不明，勿言之而不成。精言乎，勿言乎？」周公旦曰：「勿言。」故勝書能以不言說，而周公旦能以不言聽。此之謂不言之聽。不言之謀，不聞之事，殷雖惡周，不能疵矣。口唶不言，以精相告，紂雖多心，弗能知矣。目視於無形，耳聽於無聲，商聞雖眾，弗能窺矣。同惡同好，志皆有欲，雖為天子，弗能離矣。（《呂氏春秋》〈審應覽・精諭〉）

服小劫大

周公旦已戰勝殷商，接著準備攻打商蓋。辛公甲說：「大國難以攻取，小國容易征服。不如先征服眾多小國，再來對付大國。」於是攻取了九夷，商蓋跟著就被征服了。

【出處】

周公旦已勝殷，將攻商蓋。辛公甲曰：「大難攻，小易服。不如服眾小以劫大。」乃攻九夷而商蓋服矣。（《韓非子》〈說林上第二十二〉）

造父御馬

造父駕馭拉車的四匹馬，時而向前奔馳，時而繞圈打轉，顯得得心應手。所以能得心應手地馭馬，是因為他有獨掌馬轡和馬鞭的權力。然而馬被突然竄出來的豬所驚嚇，造父就失去了控制。王良駕馭副車，不用馬韁和馬鞭馴馬，而是根據馬的喜好，善用草料和飲水來控制。然而馬經過草圃水池，副車就失去了控制，並不是草料和飲水不足，而是草圃水池分散了馬的注意力。王良、造父是天下著名的馭車能手，然而使王良掌握馬勒的左邊大聲呵斥，讓造父掌握馬勒的右邊用鞭抽打，馬連十里路也走不了，這是由於兩人共同駕馭、相互干擾的緣故。田連、成竅都是天下著名的彈琴高手，然而讓田連在琴首彈撥，讓成竅在琴尾按捺，就不能彈成曲子，這也是兩人共同操作的結果。以王良、造父技能的高超，共掌馬韁駕馭，卻不能驅使馬，君主又怎麼能夠與臣子共同掌權來治理國家呢？憑田連、成竅的技巧，共同彈琴卻不能彈成樂曲，君主又怎麼能與臣子共同利用威勢來建立功業呢？

【出處】

造父御四馬，馳驟周旋而恣欲於馬。恣欲於馬者，擅轡策之制也。然馬驚於出彘而造父不能禁制者，非轡策之嚴不足也，威分於出彘也。王子於期為駙駕，轡策不用而擇欲於馬，擅芻水之利也。然馬過於圃池而駙駕敗者，非芻水之利不足也，德分於圃池也。故王良、造父，天下之善御者也，然而使王良操左革而叱咤之，使造父操右革而鞭笞之，馬不能行十里，共故也。田連、成竅，天下善鼓琴者也，然而田連鼓上、成竅擷下而不能成曲，亦共故也。夫以王良、造父之巧，共轡而御，不能使馬，人主安能與其臣共權以為治？（《韓非子》〈外儲說右下第三十五〉）

女三為粲

共王在涇水上遊玩，密康公隨從伺候。有三個美女來投奔密康公。密康公的母親說：「你一定要把這三個女子獻給君王。野獸三隻以上叫『群』，人三個以上叫『眾』，女子三個以上叫『粲』。天子打獵，從不獵取三隻以上的野獸，處理公事一定虛心聽取三人以上的意見，天子的妃嬪沒有三人屬於同族的。『粲』是形容美好的事物。一下子得到這麼多美女，你有什麼德行匹配享用呢？天子都不配享用，更何況你這種小人物！小人物占有這類東西，肯定不會有好下場。」密康公不肯獻出美女，過了一年，共王就把密康公滅掉了。

【出處】

共王游於涇上，密康公從，有三女犇之。其母曰：「必致之王。夫獸三為群，人三為眾，女三為粲。王田不取群，公行不下眾，王御不參一族。夫粲，美之物也。眾以美物歸女，而何德以堪之？王猶不堪，況爾之小醜乎！小醜備物，終必亡。」康公不獻，一年，共王滅密。（《史記》〈周本紀〉）

匹夫專利

周厲王貪圖財利，親近榮夷公。大夫芮良夫勸諫厲王說：「王室恐怕要衰落了吧？榮夷公根本不知道壟斷財利的惡果。財利是天地萬物的恩賜，應該由大家共同分享。怎麼可以由王朝來壟斷呢？觸犯了大家的利益，又不加防備，還用壟斷財利的理念來影響大王，大王的位置還坐得穩嗎？作為天子，本來應該廣開財源以滿足天下人的需要。即便處心積慮使神、人、萬物各得其所，仍然擔心不能讓各方滿意。所以《頌》說：『追念先祖后稷，能夠造福天下；安定眾多百姓，無不合乎原則。』《大雅》也說：『佈施賜予，成我周邦。』都是強調要廣開財源以滿足天下，所以能保存周邦延綿至今。現在大王想壟斷財利，這怎麼行呢？普通人壟斷財利尚且被稱為『盜』，大王這麼幹，天下還有幾個人會跟隨大王呢？榮夷公得到重用，周朝肯定會走向衰敗。」厲王不聽，仍然任用榮夷公為卿士，讓他主持國家大事。

【出處】

厲王即位三十年，好利，近榮夷公。大夫芮良夫諫厲王曰：「王室其將卑乎？夫榮公好專利而不知大難。夫利，百物之所生也，天地之所載也，而有專之，其害多矣。天地百物皆將取焉，何可專也？所怒甚多，不備大難。以是教王，王其能久乎？夫王人者，將導利而布之上下者也。使神人百物無不得極，猶日怵惕懼怨之來也。故《頌》曰：『思文后稷，克配彼天，立我蒸民，莫匪爾極。』《大雅》曰：『陳錫哉周。』[8]是不布利而懼難乎，故能載周以致於今。今王學專利，其可乎？匹夫專利，猶謂之盜，王而行之，其歸鮮矣。榮公若用，周必敗也。」厲王不聽，卒以榮公為卿士，用事。（《史記》〈周本紀〉）

---

8. 「思文后稷，克配彼天，立我蒸民，莫匪爾極」，出自《詩經》〈周頌・思文〉，「陳錫哉周」，出自《詩經》〈大雅・文王〉。

民之有口

周厲王暴虐無道，國人都指責他。召公報告說：「民眾已經到了不堪忍受的地步。」厲王很生氣，找來衛國的巫師，派他專門監視誹謗朝政的人。只要得到衛巫的報告，便將責難者殺頭處死。於是國人不敢說話，路上相見只用眼色示意。厲王非常高興，對召公說：「我能平息誹謗了，沒人再敢講朝廷的壞話。」召公說：「這是您堵住了他們的嘴巴。堵住民眾的嘴巴，比堵塞河流還要可怕。河壩一旦決口，很多人會受到傷害，民眾也是一樣。因此，治理河道正確的辦法是要疏通河道，使水流保持通暢；治理國家正確的辦法是要讓老百姓有言論自由。所以，天子處理政務，要讓各級官吏蒐集民間詩歌，樂官蒐集民間樂曲，史官進獻史書，師傅誦讀箴言，盲人詠誦譏諷朝政的詩篇，掌管營建事務的百工紛紛進諫，平民則將自己的意見轉達給君王，讓身邊的臣子盡規勸之責，讓同宗的大臣彌補天子的過失，監督天子的政事，然後由天子斟酌取捨，付之實施。這樣國家的政事才得以平穩運行。民眾有口說話，就好比土地上有山川河流能產生財富，大地上有平川沃野能供給衣食一樣。老百姓能評價和議論政事的好壞，才能做到懲惡揚善，朝廷財源充足，老百姓豐衣足食。民眾能說出心中的憂慮、牽掛和不滿，只要按他們的願望改正就行了，怎麼能強行阻止呢？如果堵住嘴巴不讓他們說話，那朝政還能支撐多久呢？」厲王不聽勸告，於是再也沒人站出來說話，過了三年，國人把厲王攆出國都，放逐到彘地去了。

【出處】

厲王虐，國人謗王。召公告曰：「民不堪命矣！」王怒，得衛巫，使監謗者，以告，則殺之。國人莫敢言，道路以目，王喜，告召公曰：「吾能弭謗矣，乃不敢言。」召公曰：「是障之也。防民之口，甚於防川。川壅而潰，傷人必多，民亦如之。是故為川者決之使導，為民者宣之使言。故天子聽政，使公卿至於列士獻詩，瞽獻曲，史獻書，師箴，瞍賦，矇誦，百工諫，庶人傳語，近臣盡規，親戚補察，瞽、史教誨，耆、艾修之，而後王斟酌焉，是以事行而不悖。民之有口，猶土之有山川也，財用於是乎出；猶其原隰之有衍沃也，衣食於是乎生。口之宣言也，善敗於是乎興，行善而備敗，其所以阜財用，衣食者也。夫民慮之於心而宣之於口，成而行之，胡可壅也？若壅其口，其與能幾何？」王不聽，於是國莫敢出言，三年，乃流王於彘。（《國語》〈周語上〉）

善之則畜

《周書》上說：「如果善待百姓，他們就會心甘情願供你役使；不善待他們，就會仇視怨恨你。」多一個仇人就多一份風險。周厲王貴為天子，因為觸犯眾怒，所以被放逐到彘地，禍及子孫。如果沒有召公虎，厲王就斷絕了後嗣。如今的君主，都想統治更多的百姓，卻不懂得善待他們，這只是增加仇人而已。不善待百姓，就得不到百姓的擁護；役使百姓的身體並不意味著得到百姓擁護，必須讓百姓發自內心擁護你，即所謂的「愛戴」。舜出身平民而占有天下，桀身為天子御死無葬身之地，兩人的得失全在於民心向背。民心得失的道理不能不瞭解。商湯、周武王懂得其中的道理，所以能功成名就。

【出處】

《周書》曰：「民，善之則畜也，不善則仇也。」有仇而眾，不若無有。厲王，天子也，有仇而眾，故流於彘，禍及子孫，微召公虎而絕無後嗣。今世之人主，多欲眾之，而不知善，此多其仇也。不善則不有。有必緣其心，愛之謂也。有其形不可為有之。舜布衣而有天下，桀，天子也，而不得息，由此生矣。有無之論，不可不熟。湯、武通於此論，故功名立。（《呂氏春秋》〈離俗覽・適威〉）

不順必犯

魯武公率長子括與次子戲朝見周宣王，宣王主張立戲為魯太子。樊仲山父勸諫說：「不能立戲為太子。命令不合情理必然遭到抵制，違犯王命就會治罪，因此天子發布命令不可不慎重。命令得不到貫徹執行，政事就無法治理；推行不合情理的政策，老百姓就會拋棄統治者。下事上，少事長，這是已有的規矩。現在陛下立諸侯卻封少子為太子，這不是教人去做違反規矩的事情嗎？如果魯君服從命令立少子為太子，諸侯各國紛紛倣傚，那先王立長的遺訓就廢了；如果魯君不服從命令而被治罪，等於是陛下自己壞了先王的規矩。這件事，治罪不恰當，不治罪也不恰當，請陛下慎重處置！」宣王仍然堅持立戲為魯太子。夏天，武公回魯國後去世，戲繼位，就是懿公。魯懿公九年，括的兒子伯御殺懿公自立。

【出處】

魯武公以括與戲見王，王立戲，樊仲山父諫曰：「不可立也！不順必犯，犯王命必誅，故出令不可不順也。令之不行，政之不立。行而不順，民將棄上。夫下事上，少事長，所以為順也。今天子立諸侯而建其少，是教逆也。若魯從之，而諸侯效之，王命將有所壅，若不從而誅之，是自誅王命也。是事也，誅亦失，不誅亦失，天子其圖之！」王卒立之。魯侯歸而卒，及魯人殺懿公而立伯御。（《國語》〈周語上〉《史記》〈魯周公世家〉）

周宣姜后

周宣王的王后姜氏，是齊侯的女兒。她賢達而有美德。不合禮法的話不說，不合禮法的事不做。宣王經常早睡晚起，待在後宮不肯臨朝。於是姜后摘下頭飾，站在永巷待罪，並讓她的傅母傳話給宣王說：「是臣妾無德無才，滋生淫逸享樂之心，以至君王受累，常常晚朝失禮，給人留下君王貪色而忘德的印象。一旦迷戀女色，就一定會窮奢極逸，疏於朝政，引起社會的動亂。現今國家存在動亂的潛在因素，根源就在於臣妾，就請君王懲罰我吧。」宣王說：「是寡人的過失，與夫人無關。」於是聽從姜后的勸告，勉力勤政，起早貪黑，終於成為中興名君。人們稱讚姜后威儀而有德行。按照禮制，夫人在後宮侍奉君王，要等夜色深沉後秉燭而入，進宮後要將燭火熄滅。到臥室後，要脫去朝服，穿上睡衣。然後再侍奉君王。到了雞鳴時分，有樂師擊鼓示意天亮。這時夫人要馬上起床穿衣，讓玉珮相互碰撞，發出叮噹之聲離去。《詩經》中說：「儀表堂堂威凜凜，政教法令真清明。」又說：「低地桑樹姿態柔，葉子肥厚黑黝黝，如果見了我夫君，互訴衷情意相投。」女人因為姣好的容貌獲得寵幸，但要以好的品德鞏固地位，姜氏的美德無可挑剔。

【出處】

周宣姜后者，齊侯之女也。賢而有德，事非禮不言，行非禮不動。宣王嘗早臥晏起，後夫人不出房。姜后脫簪珥，待罪於永巷，使其傅母通言於王曰：「妾不才，妾之淫心見矣，致使君王失禮而晏朝，以見君王樂色而忘德也。夫苟樂色，必好奢窮欲，亂之所興也。原亂之興，從婢子起。敢請婢子之罪。」王曰：「寡人不德，實自生過，非夫人之罪也。」遂復姜后而勤於政事。早朝晏退，卒成中興之名。君子謂，姜后善於威儀而有德行。夫禮，后夫人御於君，以燭進。至於君所，滅燭，適房中，脫朝服，衣褻服，然後進御於君。雞鳴，樂師擊鼓以告旦，後夫人鳴佩而去。《詩》曰：「威儀抑抑，德音秩秩。」又曰：「隰桑有阿，其葉有幽，既見君子，德音孔膠。」[9] 夫婦人以色親，以德固。姜氏之德行可謂孔膠也。（《列女傳》卷二〈賢明傳〉）

---

9. 「威儀抑抑，德音秩秩」,出自《詩經》〈大雅・假樂〉；「隰桑有阿，其葉有幽，既見君子，德音孔膠」，出自《詩經》〈小雅・隰桑〉。

民不可料

周宣王出征失敗後，就在太原進行人口普查。仲山父勸諫說：「百姓是不能查點的！古時候不查點就能知道百姓有多少，司民統計年老病死者，司商核計出生受姓者，司徒掌握能徵調的兵員，司寇掌握受懲的罪犯，牧人管理從事畜牧的民數，百工管理從事手工業的人數，場人斂藏收穫的穀物，廩人出納需用的物資，因此百姓的多少、死生、出入、往來盡在掌握之中。百姓的多少還可以在日常政務中考察。天子在藉田上督促農耕，春閒時田獵，夏鋤秋收時藉田督促，秋收和冬季農事完畢後再舉行大規模的狩獵，這些都是熟悉瞭解百姓的過程，又何必要專門清查呢？一方面說百姓沒有減少，另一方面卻要去大事查點，不正暴露出百姓減少、政事衰壞嗎？掌管國政而百姓銳減，諸侯就會躲避疏遠；治理民眾而政事衰敗，政令就無法推行。況且無緣無故查點百姓，老天爺也會厭惡。既危害政事，也不利於子孫後代。」宣王不聽，堅持進行人口普查，到幽王時，國家便滅亡了。

【出處】

宣王既喪南國之師，乃料民於太原。仲山父諫曰：「民不可料也！夫古者不料民而知其少多，司民協孤終，司商協民姓，司徒協旅，司寇協奸，牧協職，工協革，場協入，廩協出，是則少多、死生、出入、往來者皆可知也。於是乎又審之以事，王治農於籍，蒐於農隙，耨獲亦於籍，獮於既烝，狩於畢時，是皆習民數者也，又何料焉？不謂其少而大料之，是示少而惡事也。臨政示少，諸侯避之。治

民惡事，無以賦令。且無故而料民，天之所惡也，害於政而妨於後嗣。」王卒料之，及幽王乃廢滅。（《國語》〈周語上〉）

晨霜踐履

尹吉甫在周宣王時擔任上卿，是宣王中興的重臣，武功文治都有重大建樹。他還是《詩經》的主要採集者，被尊為中華詩祖。[10]尹吉甫有個兒子名叫伯奇，伯奇的母親早死，尹吉甫又娶了後妻，後妻生的兒子名叫伯邦。偏心的後妻在尹吉甫面前說伯奇的壞話，尹吉甫於是將伯奇攆出家門。寒冷的清晨，伯奇在霜地上行走，為自己並無過錯而悲傷，於是創作了一首琴曲《履霜操》，歌詞大意是：「腳踏晨霜啊冒著清晨的寒冷，父親不明白我的心啊聽信讒言。辜負養育之恩啊撕肝裂肺，敢問皇天啊為何要遭受嚴懲？生母去世啊父愛有偏，誰來關心我啊瞭解我的蒙冤？」不久周宣王出遊，吉甫跟隨。宣王從伯奇的歌聲中聽出了弦外之音，於是感嘆說：「這是孝子的傾訴啊。」尹吉甫在野外找到伯奇，明白了事情真相，因而將後妻射死。[11]

---

10. 臺灣學者李辰冬認為《詩經》乃尹吉甫一人所作。尹吉甫采邑在房陵（今湖北房縣），晚年被流放至房陵，死後葬於今房縣青峰山，其後裔世居於此。

11. 西漢楊雄《琴清音》與蔡邕《琴操》記載不同，稱尹吉甫之子伯奇投江自盡，吉甫撫琴追思。據《太平御覽》卷九二三〈羽族部十・伯勞〉：曹植在《貪惡鳥論》中說：「昔尹吉甫信用後妻之讒，而殺孝子伯奇，其弟伯封求而不得，作〈黍離〉之詩」，即認為〈黍離〉一詩是伯奇的弟弟伯邦所作，詩中名句「知我者謂我心憂，不知者謂我何求」，表達了對父親尹吉甫的哀怨之情。另《幼學瓊林》：「欲知孝子傷心，晨霜踐履；每見雄軍喜氣，晚雪銷融」，「晚雪銷融」的典故來源於唐代章孝標〈淮南李相公紳席上賦春雪〉一詩。

【出處】

《履霜操》者，尹吉甫之子伯奇所作也。吉甫，周上卿也，有子伯奇。伯奇母死，吉甫更娶後妻，生子曰伯邦。乃譖伯奇於吉甫曰：「伯奇見妾有美色，然有欲心。」吉甫曰：「伯奇為人慈仁，豈有此也？」妻曰：「試置妾空房中，君登樓而察之。」後妻知伯奇仁孝，乃取毒蜂綴衣領，伯奇前持之。於是吉甫大怒，放伯奇於野。伯奇編水荷而衣之，採花而食之，清朝履霜，自傷無罪見逐，乃援琴而鼓之曰：「履朝霜兮采晨寒，考不明其心兮聽讒言，孤恩別離兮摧肺肝，何辜皇天兮遭斯愆。痛殁不同兮恩有偏，誰說顧兮知我冤。」宣王出遊，吉甫從之，伯奇乃作歌，以言感之於宣王。宣王聞之，曰：「此孝子之辭也。」吉甫乃求伯奇於野而感悟，遂射殺後妻。（蔡邕《琴操》卷上〈履霜操〉）

檿弧箕服

從前，當夏后氏衰敗的時候，有兩條神龍降落在夏帝的庭院開口說：「我們是褒國的君主。」夏帝占卜，詢問是殺掉它、趕走它或留下它，均不吉利。又占卜問是否可以把龍的涎沫收藏起來，得到吉兆。於是陳設布帛，書於簡策，向神龍禱告。神龍飛走之前留下涎沫，被盛入金盤收藏於朱匣之中。夏朝滅亡後匣子傳給商。商亡國後又傳給周。接連三個朝代，都沒人敢打開它。到厲王末年，匣子裡放出毫光，厲王令打開觀看。因接盤失手，涎沫傾覆，橫流庭下，化為幼鱉鑽入後宮。後宮有個童女偶踏鱉跡，有感而孕。厲王怪她無夫受孕，將其囚拘幽室。過了四十年，到宣王朝時，竟然誕下一名女嬰。宣王夫人認為是怪物，讓人將女嬰丟棄河中。當時民間有童謠說：「見到山桑做成的弓和箕木做成的箭囊，周國將要滅亡。」正好有一對夫婦進城賣這兩樣東西，宣王讓人把兩人抓起來要殺頭。兩人轉身逃跑，見到宮中丟棄在河邊的嬰兒啼哭，出於憐憫收養了她。夫婦倆逃往褒國。適逢褒國人犯罪，便獻上美女褒姒以求赦免。這個褒姒，就是當年宮中丟棄的女嬰。幽王得到褒姒，寵愛無比。褒姒生下兒子伯服後，幽王便廢黜申后和太子，改立褒姒為王后，伯服為太子。太史伯陽哀嘆預言說：「災禍已經形成，周將要亡國，沒有任何辦法！」

【出處】

昔自夏后氏之衰也，有二神龍止於夏帝庭而言曰：「余，褒之二君。」夏帝卜殺之與去之與止之，莫吉。卜請其漦而藏之，乃吉。於是布幣而策告之，龍亡而漦在，櫝而去之。夏亡，傳此器殷。殷亡，又傳此器周。比三代，莫敢發之，至厲王之末，發而觀之。漦流於庭，不可除。厲王使婦人裸而譟之。漦化為玄黿，以入王後宮。後宮之童妾既齔而遭之，既笄而孕，無夫而生子，懼而棄之。宣王之時童女謠曰：「檿弧箕服，實亡周國。」於是宣王聞之，有夫婦賣是器者，宣王使執而戮之。逃於道，而見鄉者後宮童妾所棄妖子出於路者，聞其夜啼，哀而收之，夫婦遂亡，犇於褒。褒人有罪，請入童妾所棄女子者於王以贖罪。棄女子出於褒，是為褒姒。當幽王三年，王之後宮見而愛之，生子伯服，竟廢申后及太子，以褒姒為后，伯服為太子。太史伯陽曰：「禍成矣，無可奈何！」（《史記》〈周本紀〉）

褒姒之笑

褒姒是典型的冷美人。幽王想盡一切辦法逗她發笑，不惜耗費千金。周建都於酆、鎬，靠近戎人。和諸侯約定，在大路上修築高大的土堡，上面設置大鼓，使遠近都能聽到鼓聲。如果戎兵入侵，就由近及遠擊鼓傳告，諸侯的軍隊就趕來援救天子。一次戎兵入侵，周幽王令人擊鼓，諸侯軍隊如約而至，褒姒看了非常高興，終於露出了笑臉。幽王為了博得褒姒的歡心，於是屢屢擊鼓，諸侯的軍隊多次趕到，卻不見敵兵。後來戎兵真的來了，幽王再令擊鼓，諸侯各國以為又是幽王逗褒姒開心，未予理會。於是幽王被戎人殺死在驪山之下，為天下人恥笑。

【出處】

周宅酆、鎬，近戎人。與諸侯約：為高葆禱於王路，置鼓其上，遠近相聞。即戎寇至，傳鼓相告，諸侯之兵皆至，救天子。戎寇當至，幽王擊鼓，諸侯之兵皆至，褒姒大說，喜之。幽王欲褒姒之笑也，因數擊鼓，諸侯之兵數至而無寇。至於後戎寇真至，幽王擊鼓，諸侯兵不至，幽王之身乃死於麗山之下，為天下笑。（《呂氏春秋》〈慎行論・疑似〉）

王不禮焉

鄭莊公去周都，第一次朝拜周桓王。周桓王對他不怎麼禮貌。周公對周桓王說：「我們周室東遷，依靠的是晉國和鄭國。友好地對待鄭國，用以激勵後來的人，還恐怕人家不來，何況不以禮相待呢？鄭國不會來了。」

【出處】

鄭伯如周，始朝桓王也。王不禮焉。周桓公言於王曰：「我周之東遷，晉、鄭焉依。善鄭以勸來者，猶懼不蔇，況不禮焉？鄭不來矣！」（《左傳》〈隱公六年〉）

動亂之本

周公黑肩準備殺死周莊王改立王子克。辛伯報告莊王，幫著莊王殺死了周公黑肩。王子克逃亡到燕國。當初，子儀受到桓王的寵信，桓王把他囑託給周公。辛伯曾經勸諫周公說：「妾媵並同於王后，庶子等同於嫡子，權臣和卿士互爭權力，大城和國都一樣，這些都是動亂之源。」周公不聽，終於招致殺身之禍。

【出處】

周公欲弒莊王而立王子克。辛伯告王，遂與王殺周公黑肩。王子克奔燕。初，子儀有寵於桓王，桓王屬諸周公。辛伯諫曰：「並后、匹嫡、兩政、耦國，亂之本也。」周公弗從，故及。（《左傳》〈桓公十八年〉）

動亂之本

神降於莘

魯莊公三十二年七月，有神明在莘地下降。周惠王問內史過說：「這是什麼意思？」內史過回答說：「國勢將興的時候，神明下降來觀察它的德行；國家將亡的時候，神明下降以觀察它的邪惡。所以，有的得到神明而興起，有的得到神明而滅亡。虞、夏、商、周都有過類似情形。」周惠王說：「該怎麼辦呢？」內史過回答說：「用相應的物品來祭祀。他來到的日子，按規定這個日子該祭祀什麼，就是他的祭品。」周惠王聽從了。

【出處】

秋七月，有神降於莘。惠王問諸內史過曰：「是何故也？」對曰：「國之將興，明神降之，監其德也；將亡，神又降之，觀其惡也。故有得神以興，亦有以亡，虞、夏、商、周皆有之。」王曰：「若之何？」對曰：「以其物享焉，其至之日，亦其物也。」王從之。（《左傳》〈莊公三十二年〉）

莫如兄弟

周、鄭有隙。周襄王準備率領狄人進攻鄭國，富辰勸諫說：「不行。下臣聽說，天子用德行來安撫百姓，其次是親近親屬，由近及遠。從前周公嘆息管叔、蔡叔不得善終，所以把土地分封給親屬作為周朝的屏障。召穆公憂慮周德衰微，所以集合宗族在成周作《詩》

說：『小葉楊的花兒，花朵是那樣漂亮豔麗，現在的人們，總不能親近得像兄弟。』《詩》的第四章說：『兄弟們在牆內爭吵，一到牆外就共同對敵。』所以兄弟之間雖然小有不和，卻不能因此斷絕親戚關係。現在您不忍小怨而想拋棄鄭國，又能把它怎麼樣呢？鄭國有過輔助平王、惠王的功勞，又有厲王、宣王的親屬關係。現在周室的德行衰敗，如果改變周公、召公的措施，統率邪惡勢力討伐兄弟之國，恐怕不可以吧！又怎麼對得起已故的文王、武王呢？」周襄王不聽，派遣頹叔、桃子統率狄軍進攻鄭國，占領了櫟地。取得勝利後又不聽富辰的勸諫，迎娶翟女為妻。後來又廢黜翟女，招致翟人討伐，殺死譚伯。富辰說：「我屢次勸諫大王不聽，如果碰上這種情況還不出戰，大王一定以為我心有怨恨吧。」於是率領族人出戰而殉難。

【出處】

王怒，將以狄伐鄭。富辰諫曰：「不可。臣聞之，大上以德撫民，其次親親以相及也。昔周公弔二叔之不咸，故封建親戚以蕃屏周。管蔡郕霍，魯衛毛聃，郜雍曹滕，畢原酆郇，文之昭也。邘晉應韓，武之穆也。凡蔣刑茅胙祭，周公之胤也。召穆公思周德之不類，故糾合宗族於成周而作《詩》，曰：『常棣之華，鄂不韡韡，凡今之人，莫如兄弟。』其四章曰：『兄弟鬩於牆，外禦其侮。』[12]如是，則兄弟雖有小忿，不廢懿親。今天子不忍小忿以棄鄭親，其若之何？」王弗聽，使頹叔、桃子出狄師。夏，狄伐鄭，取櫟。王德狄人，將以其女為后。富辰諫曰：「不可。」王又弗聽。(《左傳》〈僖公二十四年〉

12.「常棣之華，鄂不韡韡，凡今之人，莫如兄弟」，「兄弟鬩於牆，外禦其侮」，出自《詩經・小雅・常棣》。

《史記》〈周本紀〉《國語》〈周語中〉）

輕而無禮

魯僖公三十三年春季，秦國軍隊經過成周王城的北門，戰車上除御者以外，車左、車右都脫去頭盔下車致敬，隨即跳上車的有三百輛戰車的將士。王孫滿年紀還小，看到秦軍的狀態，向周襄王評論說：「秦國軍隊不莊重又沒有禮貌，一定會失敗。不莊重就缺少計謀，沒禮貌就不嚴肅。進入險地而滿不在乎，又缺乏計謀，能不打敗仗嗎？」後來秦軍在歸途中被晉人在崤山打敗，三員大將白乙丙、西乞術、孟明視被俘。

【出處】

三十三年春，秦師過周北門，左右免冑而下。超乘者三百乘。王孫滿尚幼，觀之，言於王曰：「秦師輕而無禮，必敗。輕則寡謀，無禮則脫。入險而脫。又不能謀，能無敗乎？」（《左傳》〈僖公三十三年〉）

不有大咎

周定王派單襄公出使宋國，而後借道陳國訪問楚國。已是清晨能見到大火星的季節了，道路上雜草叢生無法通行，負責接待賓客的官員不在邊境迎候，司空不巡視道路，湖澤不修築堤壩，河流不架設橋梁，野外堆放著穀物，穀場卻不加修整，道路兩旁沒種植樹木，田裡的莊稼稀稀拉拉，膳夫不供應食物，里宰不安排住處，都邑內沒有客房，郊縣裡沒有旅舍，百姓們都忙著為夏氏修築臺觀。到了陳國都城，得知靈公與大臣孔寧、儀行父穿戴著楚地流行的服飾到夏氏家玩樂，丟下客人不會見。單襄公回朝後告訴周定王說：「陳侯如果不遭遇凶災，國家也一定滅亡。對待先王的教誨，即使認真遵行還恐怕有所差錯。像這樣荒廢先王的遺教、拋棄先王的法度、蔑視先王的分職、違背先王的政令，那憑什麼來保守國家呢？地處大國之間而不仰仗先王的遺教、法度、分職和政令，怎麼能維持長久呢？」周定王六年，單襄公到達楚國。定王八年，陳靈公被夏徵舒殺害。定王九年，楚莊王攻入陳國。

【出處】

定王使單襄公聘於宋。遂假道於陳，以聘於楚。火朝覿矣，道茀不可行，候不在疆，司空不視涂，澤不陂，川不梁，野有庾積，場功未畢，道無列樹，墾田若藝，膳宰不致餼，司里不授館，國無寄寓，縣無施捨，民將築臺於夏氏。及陳，陳靈公與孔寧、儀行父南冠以如夏氏，留賓不見。單子歸，告王曰：「陳侯不有大咎，國必亡。」「昔先王之教，懋帥其德也，猶恐殞越。若廢其教而棄其制，蔑其官而犯其令，將何以守國？居大國之間，而無此四者，其能久乎？」六年，單子如楚。八年，陳侯殺於夏氏。九年，楚子入陳。（《國語》〈周語中〉）

儉以足用

周定王八年，定公派劉康公出使魯國，向魯國的大夫分送禮物。季文子、孟獻子生活儉樸，叔孫宣子、東門子家卻很奢侈，回來後，定王詢問魯國的大夫誰最賢德，劉康公回答說：「季孫、仲孫可以在魯國長期執政，叔孫、東門則有可能敗亡。即使家族不亡，本人也很難免禍。」定王說：「為什麼呢？」劉康公回答說：「我聽說，為臣必須遵行臣道，為君必須恪守君道。寬厚、嚴整、公正、仁愛是君道；忠敬、謹慎、謙恭、儉樸是臣道。現在季孫、仲孫生活儉樸，他們的財用充足，因而家族能得到保護；叔孫、東門奢侈，奢侈就不會體恤貧困，貧困者得不到體恤，憂患必然降臨，從而危及自身。況且作為人臣而奢侈，增加國家的負擔，這不是在走向敗亡嗎？」定王問：「他們能維持多久呢？」劉康公回答說：「東門子家的地位不如叔孫宣子但比叔孫宣子奢侈，所以不可能連續兩朝享有俸祿；叔孫宣子的地位不如季孫、仲孫，卻比他們奢侈，因此很難連續三朝享有俸祿。如果他們死得早倒還罷了，假若壽命較長而多幹壞事，一定會敗亡。」周定王十六年，魯宣公去世。告喪的使者還沒有抵達王都，東門子家的人已來報告發生變亂，東門子家逃往齊國。周簡王十一年，叔孫宣子也逃奔齊國，正好是魯成公去世的前二年。

【出處】

定王八年，使劉康公聘於魯，發幣於大夫。季文子、孟獻子皆儉，叔孫宣子、東門子家皆侈。歸，王問魯大夫孰賢？對曰：「季、孟其長處魯乎？叔孫、東門其亡乎！若家不亡，身必不免。」王曰：「何故？」對曰：「臣聞之：為臣必臣，為君必君。寬肅宣惠，君也；敬恪恭儉，臣也。寬所以保本也，肅所以濟時也，宣所以教施也，惠所以和民也。本有保則必固，時動而濟則無敗功，教施而宣則遍，惠以和民則阜。若本固而功成，施遍而民阜，乃可以長保民矣，其何事不徹？敬所以承命也，恪所以守業也，恭所以給事也，儉所以足用也。以敬承命則不違，以恪守業則不懈，以恭給事則寬於死，以儉足用則遠於憂。若承命不違，守業不懈，寬於死而遠於憂，則可以上下無隙矣，其何任不堪，上任事而徹，下能堪其任，所以為令聞長世也。今夫二子者儉，其能足用矣，用足則族可以庇。二子者侈，侈則不恤匱，匱而不恤，憂必及之，若是則必廣其身。且夫人臣而侈，國家弗堪，亡之道也。」王曰：「幾何？」對曰：「東門之位不若叔孫，而泰侈焉，不可以事二君。叔孫之位不若季、孟，而亦泰侈焉，不可以事三君。若皆蚤世猶可，若登年以載其毒，必亡。」十六年，魯宣公卒。赴者未及，東門氏來告亂，子家奔齊。簡王十一年，魯叔孫宣伯亦奔齊，成公未歿二年。（《國語》〈周語中〉）

王其勿賜

周簡王八年，魯成公將要朝見周王，派叔孫宣子打前站向簡王報告消息。王孫說與叔孫宣子見面交談後，向簡王匯報說：「魯國的叔孫宣子此次前來，肯定另有企圖。他進獻的聘禮菲薄，言辭卻充滿阿諛奉承，我估計他是自告奮勇來的，想得到天子的賞賜。魯國的當政者畏懼他的強橫，所以成公儘管不樂意也只得答應。他的相貌上寬下尖，很容易觸犯他人。陛下不要賞賜他。貪婪強橫的人來朝見卻得到賞賜，就不是鼓勵善行，並且財物也滿足不了他的慾望。」簡王說：「好吧！」便派人私下向魯國打聽，果然是叔孫宣子主動提出朝見的。簡王便不給他賞賜，如同一般使節接待他。到了魯成公來朝時，由季文子陪同，王孫說與季文子交談，覺得他為人非常謙和。王孫說告訴簡王，簡王厚賞了季文子。

【出處】

簡王八年，魯成公來朝，使叔孫僑如先聘且告。見王孫說，與之語。說言於王曰：「魯叔孫之來也，必有異焉。其享覲之幣薄而言諂，殆請之也，若請之，必欲賜也。魯執政唯強，故不歡焉而後遣之，且其狀方上而銳下，宜觸冒人。王其勿賜。若貪陵之人來而盈其願，是不賞善也，且財不給。故聖人之施捨也議之，其喜怒取與亦議之。是以不主寬惠，亦不主猛毅，主德義而已。」王曰：「諾。」使私問諸魯，請之也。王遂不賜，禮如行人。及魯侯至，仲孫蔑為介，王孫說與之語，說讓。說以語王，王厚賄之。（《國語》〈周語中〉）

晉人執殺

萇弘以法術效力於周靈王。諸侯不肯朝見周王，周朝微弱，無力治罪，就讓萇弘設置射狸首的儀式，以狸首代表那些不來朝見的諸侯，想憑藉神怪的力量逼迫諸侯來朝。諸侯不從，晉人捕獲並殺死了萇弘。周朝人談法術神怪就是從萇弘開始的。

【出處】

是時萇弘以方事周靈王，諸侯莫朝周，周力少，萇弘乃明鬼神事，設射貍首。貍首者，諸侯之不來者。依物怪欲以致諸侯。諸侯不從，而晉人執殺萇弘。周人之言方怪者自萇弘。（《史記》〈封禪書〉）

心在他矣

周靈王的弟弟儋季死了，儋季的兒子括拜見靈王時聲有嘆息。單國的公子愆期擔任靈王的侍衛，經過朝廷，聽到括的嘆氣就說：「括一定有篡位的野心！」進去把情況報告靈王，並且說：「一定要殺死他！父親死了，他面無悲哀而有所期盼，目光四處張望，趾高氣揚，心有旁鶩。不殺後患無窮。」靈王不以為然的說：「括一個小孩子知道什麼？」靈王去世後，儋括想立王子佞夫，包圍蔿地，把成愆攆到了平時。

【出處】

初，王儋季卒，其子括將見王，而嘆。單公子愆期為靈王御士，過諸廷，聞其嘆而言曰：「烏乎！必有此夫！」入以告王，且曰：「必殺之！不戚而願大，視躁而足高，心在他矣。不殺，必害。」王曰：「童子何知？」及靈王崩，儋括欲立王子佞夫，佞夫弗知。戊子，儋括圍蔿，逐成愆。成愆奔平時。五月癸巳，尹言多、劉毅、單蔑、甘過、鞏成殺佞夫。括、瑕、廖奔晉。書曰「天王殺其弟佞夫」。罪在王也。（《左傳》〈襄公三十年〉）

朝不謀夕

周景王派劉定公在潁地慰勞趙孟，住在洛水邊的館舍裡。劉定公說：「禹帝的功績多麼偉大，美德多麼深遠啊。如果沒有禹帝，我們恐怕早就餵了魚吧！今天我和您能穿戴禮帽禮服，治理百姓、面對諸侯，都是仰賴禹帝的力量啊。您何不繼承禹帝的遺志，多做些有利於後世子孫的事呢？」趙孟回答說：「我老頭子如履薄冰，顧及眼前已經勉為其難，哪還有精力考慮長遠啊？我們這些人苟且度日，早晨不想晚上的事，哪裡會作長遠打算呢？」劉子回去後告訴周景王說：「俗話說，人老了會變聰明，但糊塗也隨之而來了，這說的就是趙孟吧！身為晉國的正卿，主政諸侯，卻把自己等同於賤民，早晨不想晚上的事，等於是放棄神靈和百姓。神靈發怒，百姓背叛，政權哪裡還能保持長久？趙孟恐怕活不過今年了。神靈發怒，不享用他的祭祀；百姓背叛，不肯替他做事；祭祀和國事不能料理，又怎麼熬得過今年呢？」

【出處】

天王使劉定公勞趙孟於潁，館於洛汭。劉子曰：「美哉禹功，明德遠矣！微禹，吾其魚乎！吾與子弁冕端委，以治民臨諸侯，禹之力也。子盍亦遠績禹功，而大庇民乎？」對曰：「老夫罪戾是懼，焉能恤遠？吾儕偷食，朝不謀夕，何其長也？」劉子歸，以語王曰：「諺所為老將知而耄及之者，其趙孟之謂乎！為晉正卿，以主諸侯，而儕於隸人，朝不謀夕，棄神人矣。神怒民叛，何以能久？趙孟不復

年矣。神怒，不歆其祀；民叛，不即其事。祀事不從，又何以年？」（《左傳》〈昭公元年〉）

省風作樂

魯昭公二十一年春季，周景王準備鑄造無射大鐘。泠州鳩說：「天子大概會死於心病吧！天子主持音樂。聲音是音樂的載體，鐘是發音的器物。天子考察風俗因以製作樂曲，用樂器來匯聚它，用聲音來表達它，小的樂器發音不纖細，大的樂器發音不洪亮，從而使得萬物和諧。萬物和諧，美妙的音樂才能完成。和諧的聲音聽起來賞心悅耳，帶給人心的快樂。纖細就不能傳達四方，洪亮就令人無法忍受，內心因此煩躁不安，不安就會生病。現在鐘聲粗放，天子的內心肯定不會安寧，又怎麼能長久呢？」第二年，景王果然死於心病。

【出處】

二十一年春，天王將鑄無射。泠州鳩曰：「王其以心疾死乎？夫樂，天子之職也。夫音，樂之輿也。而鐘，音之器也。天子省風以作樂，器以鐘之，輿以行之。小者不窕，大者不槬，則和於物，物和則嘉成。故和聲入於耳而藏於心，心億則樂。窕則不咸，總則不容，心是以感，感實生疾。今鐘槬矣，王心弗堪，其能久乎？」（《左傳》〈昭公二十一年〉）

母子相權

周景王二十一年，朝廷準備鑄大錢。單穆公說：「不能啊。古時候遭遇天災，朝廷才計量財貨，權衡錢幣的輕重，以賑濟百姓。如果百姓嫌錢輕物重，朝廷就鑄造發行大錢，以大錢輔佐小錢流通；如果百姓嫌錢重物輕，就多鑄小錢投入流通，同時不廢止大錢，以小錢輔佐大錢流通。這樣小錢、大錢的流通都沒有弊端。如今陛下廢除小錢改鑄大錢，百姓手上的小錢就成了無用之物。如果老百姓手頭拮据，陛下的財用也會困乏，如果反過來苛剝百姓，百姓就會不堪重負，從而萌生逃亡之心。這不等於在驅趕百姓嗎？國家的防災、救災措施不能互相替代。可以提前預防而不先做準備是懈怠；把應急的措施提前使用是招災。周朝已經是弱國了，上天連續降災，陛下又驅趕百姓助長災難，這不是火上澆油嗎？《夏書》中說：『賦稅均平，王室的庫藏才會充盈。』《詩經》裡也說：『看那旱山的腳下，長滿了茂盛的林果；平和歡愉的君子，歡愉平和地收穫。』如果山林匱竭，湖泊乾涸，民力凋敝，農田荒蕪，財用匱乏，君子整天為國家的安危擔憂，哪還有安詳歡愉可言呢？用搜刮民眾的財產來充實王室，如同堵塞河流的源頭來蓄積水池，很快就會斷絕源頭。如果百姓離散而財用匱乏，災害降臨又無所防備，陛下該怎樣辦呢？對於預防災害，我們周室的官員已經漏洞百出了，現在又要侵奪民眾的資財來助長災禍，這是拋棄善政而置民眾於死地啊。君王請仔細斟酌！」周景王不聽勸阻，仍然鑄造大錢。

【出處】

景王二十一年，將鑄大錢。單穆公曰：「不可。古者，天災降戾，於是乎量資幣，權輕重，以振救民，民患輕，則為作重幣以行之，於是乎有母權子而行，民皆得焉。若不堪重，則多作輕而行之，亦不廢重，於是乎有子權母而行，小大利之。今王廢輕而作重，民失其資，能無匱乎？若匱，王用將有所乏，乏則將厚取於民。民不給，將有遠志，是離民也。且夫備有未至而設之，有至後救之，是不相入也，可先而不備，謂之怠；可後而先之，謂之召災。周固羸國也，天未厭禍焉，而又離民以佐災，無乃不可乎？將民之與處而離之，將災是備御而召之，則何以經國？國無經，何以出令？令之不從，上之患也，故聖人樹德於民以除之。《夏書》有之曰：『關石和鈞，王府則有。』[13]《詩》亦有之曰：『瞻彼旱麓，榛楛濟濟。愷悌君子，干祿愷悌。』[14]夫旱麓之榛楛殖，故君子得以易樂干祿焉。若夫山林匱竭，林麓散亡，藪澤肆既，民力凋盡，田疇荒蕪，資用乏匱，君子將險哀之不暇，而何易樂之有焉？且絕民用以實王府，猶塞川原而為潢污也，其竭也無日矣。若民離而財匱，災至而備亡，王其若之何？吾周官之於災備也，其所怠棄者多矣，而又奪之資，以益其災，是去其藏而翳其人也。王其圖之！」王弗聽，卒鑄大錢。(《國語》〈周語下〉)

13.「關石和鈞，王府則有」，出自《夏書》〈五子之歌〉。

14.「瞻彼旱麓，榛楛濟濟。愷悌君子，干祿愷悌」，出自《詩經》〈大雅‧旱麓〉。

眾心成城

周景王二十三年，景王為鑄造無射樂鐘，打算先鑄造有林大鐘做試驗。單穆公極力勸阻，景王不聽，去問樂官伶州鳩。伶州鳩回答說：「有和諧均平的音聲，便有繁衍增值的財物。於是表達它的詩句符合道德，詠唱它的歌聲符合音律，道德和音律都沒有差池，用來溝通神人，神靈因此而安寧，百姓因此而順從。如果耗費財物、疲憊民眾來放縱個人的淫慾之心，入耳之音既不和諧，所奏之樂又不合法度，不僅無益於教化，而且離散民眾、激怒神靈，這就不是臣所得知的事了。」景王不聽勸諫，終於鑄造了大鐘。景王二十四年，大鐘鑄成，樂工報告說樂音和諧。景王指斥伶州鳩說：「鐘聲不還是很和諧嗎？」伶州鳩答道：「陛下不明瞭其中的緣故。」景王說：「為什麼呢？」伶州鳩說：「君王製作樂器，百姓非常高興，這才是和諧。現在花費了財物而民眾疲憊，無不怨恨，臣不認為這是和諧。百姓都喜好的事情，很少有不成功的；百姓都厭惡的事情，很少有不失敗的。所以諺語說：『眾心成城，眾口鑠金。』三年裡面耗費錢財的事情做了兩件，恐怕至少有一件是要失敗的。」景王說：「你老糊塗了，懂得什麼？」二十五年，景王去世，大鐘所奏的音聲果然不和諧。

【出處】

二十三年，王將鑄無射，而為之大林。單穆公曰：「不可。……三年之中，而有離民之器二焉，國其危哉！」王弗聽，問之伶州鳩[15]，對曰：「夫有和平之聲，則有蕃殖之財。於是乎道之以中德，詠之以中音，德音不愆，以合神人，神是以寧，民是以聽。若夫匱財用，罷民力，以逞淫心，聽之不和，比之不度，無益於教，而離民怒神，非臣之所聞也。」王不聽，卒鑄大鐘。二十四年，鐘成，伶人告和。王謂伶州鳩曰：「鐘果和矣。」對曰：「未可知也。」王曰：「何故？」對曰：「上作器，民備樂之，則為和。今財亡民罷，莫不怨恨，臣不知其和也。且民所曹好，鮮其不濟也。其所曹惡，鮮其不廢也。故諺曰：『眾心成城，眾口鑠金。』三年之中，而害金再興焉，懼一之廢也。」王曰：「爾老耄矣！何知？」二十五年，王崩，鐘不和。（《國語》〈周語下〉）

自斷其尾

周景王處死了下門子。賓孟來到城郊，看見公雞啄斷自己的尾羽，便問僕役說：「這是怎麼回事？」僕役回答說：「是怕被捉去當祭品吧。」於是返回告訴景王說：「臣看見公雞啄斷自己的尾羽，說是怕被捉去當犧牲品，臣認為這是牲畜的本性。把外人像犧牲那樣尊寵確有禍患，但尊寵自己人有什麼禍害呢？牲畜大概是討厭為人所用吧。但人與牲畜不同。把人像犧牲那樣尊寵，是要重用他啊。」景王沒有回應。他率領大臣們到鞏地田獵，準備趁機殺死單穆公，還沒付諸行動，自己就先死了。

15. 伶州鳩與泠州鳩，似應為同一人。

【出處】

景王既殺下門子。賓孟適郊，見雄雞自斷其尾，問之，侍者曰：「憚其犧也。」遽歸告王，曰：「吾見雄雞自斷其尾，而人曰：『憚其犧也』，吾以為信畜矣。人犧實難，己犧何害？抑其惡為人用也乎，則可也。人異於是。犧者，實用人也。」王弗應，田於鞏，使公卿皆從，將殺單子，未克而崩。（《國語・周語下》）

玉則為石

魯昭公二十四年冬季，王子朝將成周的寶珪沉入黃河向河神祈禱。不久，渡船的船工在河水中得到了這塊寶珪。陰不佞帶著溫地人往南襲擊王子朝，拘捕了從黃河中撈起寶玉的人，把寶玉奪過來。準備賣掉它的時候，玉竟然變成了一塊石頭。待王室安定以後，陰不佞把它奉獻給周敬王，周敬王賜給他東訾之地。

【出處】

冬十月癸酉，王子朝用成周之寶珪於河。甲戌，津人得諸河上。陰不佞以溫人南侵，拘得玉者，取其玉，將賣之，則為石。王定而獻之，與之東訾。（《左傳・昭公二十四年》）

尹固之復

魯昭公二十九年二月，京城裡發生動亂，召伯盈、尹氏固和原伯魯的兒子被殺。尹氏固回去復位的時候，有個女人在郊外碰上他，斥責他說：「在國內就慫恿別人惹禍，逃亡出去沒幾天就回來了，這樣的人能活過三年嗎？」

【出處】

三月己卯，京師殺召伯盈、尹氏固及原伯魯之子。尹固之復也，有婦人遇之周郊，尤之，曰：「處則勸人為禍，行則數日而反，是夫也，其過三歲乎？」（《左傳》〈昭公二十九年〉）

陽豎道周

嚴遂謀殺了韓相俠累，陽豎也參與謀劃。事後陽豎逃亡，經過東周，東周君讓他在東周住了十四天，然後以車駕禮送出國。韓國派人責問東周君，東周君因此憂慮不安。有人對東周君說：「您就直截了當、毫不隱諱地對韓國使臣說：『我本來知道陽豎參與了嚴遂謀殺事件，所以把他留了十四天，等待貴國的指示。我們國小力弱，怎能違抗貴國、接納兇犯呢？可是，久等貴國的使臣不來，只好把他放走了。』」

【出處】

嚴氏為賊，而陽豎與焉。道周，周君留之十四日，載以乘車駟馬而遣之。韓使人讓周，周君患之。客謂周君曰：「正語之曰：『寡人知嚴氏之為賊，而陽豎與之，故留之十四日以待命也。小國不足亦以

容賊，君之使又不至，是以遣之也。』」（《戰國策》〈東周策〉）

子咎爭儲

周慎靓王的太子死了，他有五個庶子，個個寵愛，尚未確定立誰為太子。楚相國司馬翦對楚王說：「大王為何不趁此機會多多資助公子咎，並請求周王立公子咎為太子呢？」大臣左成對司馬翦說：「如果周王不答應，這不僅使您難堪，而且也會影響楚、周兩國的正常關係。倒不如對周王說：『您準備立誰為太子，事先可暗中打個招呼。我好讓楚王多給他土地以支持他。』」公子咎想做太子，於是派人對楚相國的侍衛長展空說：「君王想立咎為太子，他是個很有作為的人，久處於庶子的地位，如果不能立為太子，必怨相國，會對相國不利。」相國司馬翦於是支持公子咎為太子。

【出處】

周共太子死，有五庶子，皆愛之，而無適立也。司馬翦謂楚王曰：「何不封公子咎，而為之請太子？」左成謂司馬翦曰：「周君不聽，是公之知困而交絕於周也。不如謂周君曰：『孰欲立也？微告翦，翦今楚王資之以地。』公若欲為太子，因令人謂相國御展子、嗇夫空曰：『王類欲令若為之，此健士也，居中不便於相國。』」相國令之為太子。（《戰國策》〈東周策〉）

衛疾實囚

秦國派左丞相樗里疾率領一百乘車輛的龐大使團出使西周，西周君派儀仗隊迎接，場面極為隆重恭敬，楚王很生氣，責備西周君偏厚秦國使者。周臣游騰向楚王解釋說：「從前晉卿智伯要攻打仇由國，便用大車載上大鐘送給仇由國，大車後面跟隨著大隊兵馬，仇由事先沒有任何準備，措手不及，因此亡國。從前齊桓公揚言攻打楚國，中途卻突然襲擊蔡國，也是趁其不備。秦國是如狼似虎的國家，貪得無厭，又有獨吞西周之意。如今派樗里疾以戰車百輛侵入周地，西周的國君非常害怕，以蔡國和仇由國為前車之鑒，高度戒備，所以安排戈予在前，強弩在後，名義上是保衛樗里疾，實際上是限制他，以防萬一之變，西周君哪能不愛國呢？他很擔心一旦亡國，既加強了秦國，楚國也失去屏障，他是在為大王擔憂啊。」楚王聽了，這才轉怒為喜。

【出處】

秦令樗里疾以車百乘入周，周君迎之以卒，甚敬。楚王怒，讓周，以其重秦客。游騰謂楚王曰：「昔智伯欲伐厹由，遺之大鐘，載以廣車，因隨入以兵，厹由卒亡，無備故也。桓公伐蔡也，號言伐楚，其實襲蔡。今秦者，虎狼之國也，兼有吞周之意；使樗里疾以車百乘入周，周君懼焉，以蔡、厹由戒之，故使長兵在前，強弩在後，名曰衛疾，而實囚之也。周君豈能無愛國哉？恐一日之亡國，而憂大王。」楚王乃悅。（《戰國策》〈西周策〉）

屬怒於周

楚軍開至山南，楚將吾得為了楚王想向西周挑釁，讓周君與楚王結怨。有人對周君說：「您不如派太子與軍中將領到邊境去迎接吾得，您再親自到郊外歡迎，讓諸侯都知道君王尊重吾得。同時讓楚國人也知道這個消息，並且揚言說：『周君已把某某東西贈送給吾得了。』這樣，楚王必定會向吾得索取。吾得拿不出來，楚王就會歸罪於吾得。」

【出處】

楚兵在山南，吾得將為楚王屬怒於周。或謂周君曰：「不如令太子將軍整迎吾得於境，而君自郊迎，令天下皆知君之重吾得也。因泄之楚，曰：『周君所以事吾得者器，必名曰謀楚。』王必求之，而吾得無效也，王必罪之。」（《戰國策》〈西周策〉）

四國弗惡

楚國請求借道東、西二周進攻韓、魏，國君深以為憂。蘇秦對周君說：「您為楚國開闢道路，一直修到黃河岸邊，靠近韓、魏。韓、魏兩國一定會感到害怕。齊、秦兩國擔心楚國劫取九鼎，就會出兵救援韓、魏而攻打楚國，楚國如果守不住北邊的國土，又怎麼能通過東、西二周去進攻韓、魏呢？如果韓、魏、齊、秦四國並不以此為憂，君王即使不願借道，楚國也會自行通過啊。」

【出處】

楚請道於二周之間，以臨韓、魏，周君患之。蘇秦謂周君曰：「除道屬之於河，韓、魏必惡之。齊、秦恐楚之取九鼎也，必救韓、魏而攻楚。楚不能守方城之外，安能道二周之間。若四國弗惡，君雖不欲與也，楚必將自取之矣。」（《戰國策》〈西周策〉）

必無獨知

司寇布為周最對周君說：「您讓人告訴齊王說周最不肯做太子，我個人認為這種做法不可取。函冶氏為齊太公買了一把寶劍，太公不識貨，退回劍要回了錢。越地有人以千金求購這把劍，函冶氏嫌折本不肯成交。函冶氏臨死前告誡兒子說：『好東西不能只有自己知道。』大王想立周最為太子，這是您心裡的想法，可天下人未必相信。我擔心齊王會以為您想立果為太子，故意讓周最表示謙讓來欺騙齊國。這樣一來，您和周最就弄巧成拙了。您為什麼不買眾所周知的好貨呢？您對周最傾注的感情最深，應該讓天下人知道啊。」

【出處】

司寇布為周最謂周君，曰：「君使告齊王以周最不肯為太子也，臣為君不取也。函冶氏為齊太公買良劍，公不知善，歸其劍而責之金。越人請買之千金，責而不賣。將死而屬其子曰：『必無獨知。』今君之使最為太子，獨知之契也，天下未有信之者也。臣恐齊王之為君實立果而讓之於最，以嫁之齊也。君為多巧，最為多詐，君何不買

信貨哉？奉養無有愛於最也，使天下見之。」（《戰國策》〈西周策〉）

周君難往

秦國邀請西周君，西周君不肯前往。有人為西周君對魏王說：「秦國邀請西君，其目的是想讓西周進攻魏地南陽。君王為何不在黃河南岸舉行軍事演習？周君聽說後，就可以藉口魏國進攻西周而不去秦國了。西周君不去秦國，秦國就會擔心西周斷其後路而不敢渡過黃河來進攻南陽了。」

【出處】

秦召周君，周君難往。或為周君謂魏王曰：「秦召周君，將以使攻魏之南陽。王何不出於河南？周君聞之，將以為辭於秦而不往。周君不入秦，秦必不敢越河而攻南陽。」（《戰國策》〈西周策〉）

形不小利

秦國在伊闕打敗魏將犀武以後，接著進攻西周。周赧王向魏國求援，魏王以上黨情勢緊急為藉口回絕了赧王。返國途中，赧王看見魏國的梁囿，非常喜歡。赧王大臣綦毋恢對赧王說：「魏國的溫囿並不比梁囿差，離周國很近，臣能為君王得到它。」於是綦毋恢返回拜見魏王。魏王說：「周君抱怨我嗎？」綦毋恢回答說：「他怎能不抱怨呢？我認為君王將自取禍患。赧王畢竟是諸侯首領，西周又可以充當貴國防禦秦國的屏障，貴國卻不肯為西周防禦秦國。如果西周轉而討好秦國，秦國聯合西周進攻貴國的南陽，斷絕連接上黨的要道，韓、趙兩國也不能支援魏國了。」魏王說：「那該怎麼辦呢？」綦毋恢說：「看赧王的樣子不一定會討好秦國，他很貪小利。如果君王答應派三萬人去駐守西周邊境，並以溫囿相贈，這樣赧王既可以向周國朝野有個交代，又滿足了自己貪圖溫囿遊樂的私慾，也肯定不會與秦國聯合了。我聽說溫囿每年的收益是八十金，赧王得了溫囿，每年可以給君王繳納一百二十金。這樣，上黨既沒有禍患，每月還可多得四十金呢。」魏王於是派孟卯獻出溫囿，同時答應派兵去西周戍邊。

【出處】

犀武敗於伊闕，周君之魏求救，魏王以上黨之急辭之。周君反，見梁囿而樂之也。綦母恢謂周君曰：「溫囿不下此，而又近。臣能為君取之。」反見魏王，王曰：「周君怨寡人乎？」對曰：「不怨。且誰怨王？臣為王有患也。周君，謀主也。而設以國為王捍秦，而王無之捍也。臣見其必以國事秦也，秦悉塞外之兵，與周之眾，以攻南陽，而兩上黨絕矣。」魏王曰：「然則奈何？」綦母恢曰：「周君形不小利，事秦而好小利。今王許戍三萬人與溫囿，周君得以為辭於父兄百姓，而利溫囿以為樂，必不合於秦。臣嘗聞溫囿之利，歲八十金，周君得溫囿，其以事王者，歲百二十金，是上黨每患而贏四十金。」魏王因使孟卯致溫囿於周君而許之戍也。（《戰國策》〈西周策〉）

韓魏易地

韓、魏兩國交換國土，西周感到對自己不利。周臣樊余為西周向楚王說：「西周一定會亡國。韓、魏兩國交換國土，韓國獲得兩縣，魏國失掉兩縣，兩國之所以交換國土，是因為魏國所換得的土地囊括了東周、西周的全部國土。得失相比，多得二縣不說，還得到傳國之寶九鼎。如果魏國占領南陽、鄭地、三川，包括東周、西周，那麼楚國的北方必定危急；如果韓國兼有兩個上黨，那麼趙國的羊腸險塞也很危險。」楚王深以為然，於是同趙國一道阻止韓、魏進行國土交換。

【出處】

韓魏易地，西周弗利。樊余謂楚王曰：「周必亡矣。韓、魏之易地，韓得二縣，魏亡二縣。所以為之者，盡包二周，多於二縣，九鼎存焉。且魏有南陽、鄭地、三川而包二周，則楚方城之外危；韓兼兩上黨以臨趙，即趙羊腸以上危。故易成之曰，楚、趙皆輕。」楚王恐，因趙以止易也。（《戰國策》〈西周策〉）

秦欲攻周

秦國想攻打西周，周最對秦王說：「為君王的國家考慮，不能進攻西周。進攻西周並撈不到多少實惠，反而落得討伐天子的惡名為諸侯唾棄。如果諸侯列國借討伐天子的惡名唾棄秦國，就必然向東聯合齊國。您的兵力因進攻西周受損，進一步又促使諸侯與齊國聯合，那樣一來，秦國就會處於孤立地位。這是諸侯想困頓秦國，才勸您進攻西周；秦國一旦被諸侯所困，就不能向他們發號施令、一統天下了。」

【出處】

秦欲攻周，周最謂秦王曰：「為王之國計者，不攻周。攻周，實不足以利國，而聲畏天下。天下以聲畏秦，必東合於齊。兵弊於周，而合天下於齊，則秦孤而不王矣。是天下欲罷秦，故勸王攻周。秦與天下俱罷，則令不横行於周矣。」（《戰國策》〈西周策〉）

恃援國而輕勁敵

周臣宮他對周君說：「宛國依賴秦國，因而對晉國放鬆了警惕，當秦國遭遇飢荒時，它就被晉國趁機滅掉了；鄭國依賴魏國，因而對韓國放鬆了警惕，當魏國進攻蔡國時，它就被韓國趁機滅掉了；邾、莒兩國被齊國滅掉，陳、蔡兩國被楚國滅掉，都是由於仰賴別國援助、而對比鄰的敵國放鬆警惕造成的。現在您依賴韓、魏兩國而放鬆對秦國的警惕，後果不堪設想。您不如派周最暗中與趙國示好，以防備秦國，這樣就有備無患了。」

【出處】

宮他謂周君曰：「宛恃秦而輕晉，秦飢而宛亡。鄭恃魏而輕韓，

恃援國而輕勁敵

魏攻蔡而鄭亡。邾、莒亡於齊，陳、蔡亡於楚。此皆恃援國而輕近敵也。今君恃韓、魏而輕秦，國恐傷矣。君不如使周最陰合於趙以備秦，則不毀。」（《戰國策》〈西周策〉）

設舍速東

魏、韓、齊三國聯合攻打秦國，得勝凱旋。西周君擔心魏軍通過西周國境，有人為西周對魏王說：「楚、宋兩國感到秦國割地給魏、韓、齊三國對自己不利，準備襲擊君王的糧倉、輜重以幫助秦國。」魏王聽說後非常緊張，下令全軍風餐露宿，兼程東歸。

【出處】

三國攻秦反，西周恐魏之藉道也。為西周謂魏王曰：「楚、宋不利秦之德三國也，彼且攻王之聚以利秦。」魏王懼，令軍設舍速東。（《戰國策》〈西周策〉）

周足之秦

魏將犀武被秦軍擊敗，西周派相國周足出使秦國。有人對周足說：「您為何不對周君說：『我出使秦國，周、秦兩國的關係肯定會惡化。君王大臣中與秦國關係很深的人如果想做相國，肯定會對秦國說我的壞話。這樣，我就不便於出使秦國了。我願意辭掉相國再出使秦國，君王可以任命說我壞話的人擔任相國，這樣就不會在周、秦關係上說壞話了。』國君很看重秦國，所以才派您出使秦國。讓您出使又免掉您的相國，這是不重視秦國的表現，因此，您肯定不會被免去相位。您對周君說了這番話再出使秦國，如果與秦國的關係搞好了，這是您善於外交的結果；如果兩國關係惡化，那個說您壞話想做相國的人，肯定會受到嚴懲。」

【出處】

犀武敗，周使周足之秦。或謂周足曰：「何不謂周君曰：『臣之秦，秦、周之交必惡。主君之臣，又秦重而欲相者，且惡臣於秦，而臣為不能使矣。臣願免而行。君因相之，彼得相，不惡周於秦矣。』君重秦，故使相往，行而免，且輕秦也，公必不免。公言是而行，交善於秦，且公之成事也；交惡於秦，不善於公，且誅矣。」（《戰國策》〈西周策〉）

一仰西周

東周準備栽種稻子，西周不肯放水，東周為此苦惱不堪。蘇子對東周君說：「我去讓西周放水好了。」於是去見西周君說：「君王考慮錯了，現在您不放水，正是富了東周。他們現在都種麥子，沒有其他作物。君王如果要害他們，不如乾脆給他們放水。一放水，他們就會改種稻子，等他們種上稻子之後，再斷掉他們的水。那時東周將完全依賴西周，而聽命於君王了。」西周君說：「好。」於是開閘放水。蘇子因此得到了兩國的贈金。

【出處】

東周欲為稻，西周不下水，東周患之。蘇子謂東周君曰：「臣請使西周下水可乎？」乃往見西周之君曰：「君之謀過矣！今不下水，所以富東周也。今其民皆種麥，無他種矣。君若欲害之，不若一為下水，以病其所種。下水，東周必復種稻，種稻而復奪之。若是，則東周之民可令一仰西周，而受命於君矣。」西周君曰：「善。」遂下水。蘇子亦得兩國之金也。（《戰國策》〈東周策〉）

勁王之敵

楚國進攻韓國的雍氏，周君向秦、韓兩國提供糧食。楚王對周室的行為非常憤怒，周君為此深以為憂。有人為周君對楚王說：「憑楚王的威強而遷怒周君，周君非常害怕，如果他因此倒向秦、韓兩國，那就等於加強了大王的敵手。大王不如儘快消除周君的顧慮。周君原來得罪過大王，現在又得到諒解，必然會更加殷勤地侍奉大王。」

【出處】

楚攻雍氏，周粻秦、韓，楚王怒周，周之君患之。為周謂楚王曰：「以王之強而怒周，周恐，必以國合於所與粟之國，則是勁王之敵也。故王不如速解周恐，彼前得罪而後得解，必厚事王矣。」（《戰國策》〈東周策〉）

恐客傷己

東周相國呂倉引薦一位遊客給周君，前相國工師藉恐怕這人會誹謗自己，於是找人對周君說：「來客雖然是個辯智之士，但他有個致命的缺點，就是好誹謗他人。」

【出處】

周相呂倉見客於周君。前相工師藉恐客之傷己也，因令人謂周君曰：「客者，辯士也，然而所以不可者，好毀人。」（《戰國策》〈東周策〉）

衆庶成強

周文君以呂倉替代工師藉為相國，國人多有不滿。周文君為此感到憂心。有人對周文君說：「朝廷做事總會有人說三道四，忠臣把過錯歸於自己，把讚美歸於君主。宋國的君主強占農時建築游臺，為此遭到百姓的非議，這是因為沒有忠臣代他受過。子罕辭去相位改任司空，人民就非議子罕而讚美宋君。齊桓公在後宮開設了七個市場，妓院有七百名妓女，齊國人斥責他，於是管仲自毀形象，把家分置三處，每處都廣設美女，為桓公掩飾過錯。《春秋》中記載的臣子殺死君主的事件數以百計，這些臣子個個受到讚譽。由此看來，重臣享有盛名，並不是國家的幸事。所以古話說：『衆庶成強，增積成山』啊！」周昭文君於是堅持以呂倉為相。

【出處】

周文君免士工師藉，相呂倉，國人不說也。君有閔閔之心。謂周文君曰：「國必有誹譽，忠臣令誹在己，譽在上。宋君奪民時以為臺，而民非之，無忠臣以掩蓋之也。子罕釋相為司空，民非子罕而善其君。齊桓公宮中七市，女閭七百，國人非之。管仲故為三歸之家，以掩桓公，非自傷於民也？《春秋》記臣弒君者以百數，皆大臣見譽者也。故大臣得譽，非國家之美也。故『眾庶成強，增積成山。』」周君遂不免。（《戰國策》〈東周策〉）

辯知之士

石行秦對秦國的大梁造說：「您想讓秦國稱霸諸侯，就要廣為蒐羅兩周的辯知之士，開展廣泛的外交活動。」轉頭又對周君說：「您處在大國的包圍之中，最好多派辯知之士到秦國去，爭取強秦，取得依靠。」

【出處】

石行秦謂大梁造曰：「欲決霸王之名，不如備兩周辯知之士。」謂周君曰：「君不如令辯知之士，為君爭於秦。」（《戰國策》〈東周策〉）

周之祭地

趙國侵占了東周的祭地，周君因此擔憂，讓大臣鄭朝出主意。鄭朝說：「君王不必擔憂，我保證用三十金再取回祭地。」鄭朝將周君付給的三十金送給了趙國的太卜，把祭地的事拜託給他。不久，趙王生病了，讓太卜占卜問疾。太卜占過卜後，責備說：「這是周的祭地在作怪啊。」於是趙王令人把祭地歸還給了東周。

【出處】

趙取周之祭地，周君患之，告於鄭朝。鄭朝曰：「君勿患也，臣請以三十金復取之。」周君予之，鄭朝獻趙太卜，因告以祭地事。及王病，使卜之。太卜譴之曰：「周之祭地為祟。」趙乃還之。（《戰國策》〈東周策〉）

施惠窮士

周人杜赫想讓東周重用窮士景翠，就對東周君說：「君王的國家很小，即便把全國的珍寶、珠玉都拿來侍奉諸侯，也不能解決問題。譬如張網捕鳥，把網放在沒有鳥的地方，一天也捕不到一隻鳥；把網放在鳥多的地方，又會把鳥嚇跑。只有把網放在鳥不太多的地方，才能捕得到鳥。現在君王想網羅那些有名望的大佬，他們不屑於為您效勞；如果網羅那些無足輕重、發揮不了作用的小人物，只是白費錢財而已。君王應該網羅那些暫時處於困境，將來肯定會大有可為的能人志士，只有他們能助您實現願望。」

【出處】

杜赫欲重景翠於周，謂周君曰：「君之國小，盡君子重寶珠玉以事諸侯，不可不察也。譬之如張羅者，張於無鳥之所，則終日無所得矣；張於多鳥處，則又駭鳥矣；必張於有鳥無鳥之際，然後能多得鳥矣。今君將施於大人，大人輕君；施於小人，小人無可以求，又費財焉。君必施於今之窮士，不必且為大人者，故能得欲矣。」（《戰國策》〈東周策〉）

事久且洩

昌他從西周逃到東周，把西周的情況全部洩露給東周。東周君非常高興，西周君大為惱怒。大臣馮且對西周君說：「我能殺死昌他。」於是西周君給了馮且三十金。馮且派人帶著三十金和一封密信去找昌他。信上說：「告訴昌他：事情能辦成就儘力促成；辦不成就立刻返回！時間長了一定會走漏風聲，白白送死。」隨後，馮且又派人假扮告密者，向東周邊關透露消息說：「今晚有奸細要進入國境。」東周果然截獲了送密信的人，東周君立即下令殺死了昌他。

【出處】

昌他亡西周，之東周，盡輸西周之情於東周。東周大喜，西周大怒。馮且曰：「臣能殺之。」君予金三十斤。馮且使人操金與書，間遺昌他書曰：「告昌他，事可成，勉成之；不可成，亟亡來亡來。事久且泄，自令身死。」因使人告東周之候曰：「今夕有奸人當入者矣。」候得而獻東周，東周立殺昌他。（《戰國策》〈東周策〉）

與東周惡

楚臣昭翦與東周關係不好。有人對昭翦說：「我給您出個妙計，怎麼樣？」昭翦問：「什麼妙計？」回答說：「西周痛恨東周，總想使東周與楚國關係惡化。因此，西周一定會暗中派刺客刺殺您，卻揚言這是東周幹的，因為西周與楚王友好，楚王便不會懷疑西周。」昭翦說：「是啊！東周也可能暗害我，卻嫁禍於西周。」於是立即緩和了與東周的關係。

【出處】

昭翦與東周惡，或謂昭翦曰：「為公畫陰計。」昭翦曰：「何也？」「西周甚憎東周，嘗欲東周與楚惡，西周必令賊賊公，因宣言東周也，以西周之於王也。」昭翦曰：「善。吾又恐東周之賊己而以輕西周惡之於楚。」遽和東周。（《戰國策》〈東周策〉）

誰刺我父

周武君派人到東周刺殺伶悝。伶悝仰面倒下，讓他的兒子趕快裝哭，邊哭邊說：「這是誰刺殺了我的父親啊？」行刺的人聽到哭聲，以為伶悝已經死了。周武君認為刺客的話不誠實，於是將他重重治罪。

【出處】

周武君使人刺伶悝於東周。伶悝僵，令其子速哭曰：「以誰刺我父也？」刺者聞，以為死也。周以為不信，因厚罪之。（《呂氏春秋》〈開春論・貴卒〉）

溫人之周

溫邑有個人來到周都，周人不肯接納他。周人問他說：「是客人嗎？」溫人回答說：「是主人！」問周邊的人，大家都不認識他，小吏因此把他關了起來。周君派人問他說：「你不是周人，又自稱不是客人，為什麼？」溫人回答說：「我小時候讀《詩》，詩中說：『普天之下，莫非王土；率土之濱，莫非王臣。』現在您是天子，我是天子的臣民。哪有身為臣子的，又是他的客人呢？所以我說是主人。」周君於是讓人把他放了。

【出處】

溫人之周，周不納。問之曰：「客耶？」對曰：「主人也。」問其巷而不知也，吏因囚之。君使人問之曰：「子非周人，而自謂非客何也？」對曰：「臣少而誦《詩》，詩曰：『普天之下，莫非王土；率

土之濱，莫非王臣。』[16]今周君天子，則我天子之臣，而又為客哉？故曰主人。」君乃使吏出之。（《戰國策》〈東周策〉）

令索曲杖

周君下令尋找彎曲的手杖，官吏們找了幾天沒找到。周君私下派人再找，不到一天就找到了。周君批評官吏說：「我就知道你們辦事不力。彎曲的手杖很容易找，你們卻找不到；我派人尋找，不到一天就找到了。你們怎麼能算忠誠呢！」官吏們認為周君神明，從此小心翼翼忠於職守。

【出處】

周主下令索曲杖，吏求之數日不能得。周主私使人求之，不移日而得之。乃謂吏曰：「吾知吏不事事也。曲杖甚易也，而吏不能得，我令人求之，不移日而得之，豈可謂忠哉！」吏乃皆悚懼其所，以君為神明。（《韓非子》〈內儲說上七術第三十〉）

分為兩國

公子朝是周君的太子，他的弟弟公子根很受周君寵愛。周君死後，公子根發動叛亂，周於是分裂為兩個小國。

16.「普天之下，莫非王土；率土之濱，莫非王臣」，出自《詩經》〈小雅・北山〉。

【出處】

公子朝，周太子也，弟公子根甚有寵於君。君死，遂以東周叛，分為兩國。（《韓非子・內儲說下六微第三十一》）

萬物之狀

有個客人為周君畫竹簡，三年才完工。周君前去觀看，和漆過的竹簡一樣。周君非常氣憤。畫竹簡的人說；「築一道十版高的牆，在牆上開一扇八尺見方的窗戶，等到太陽照射進來的時候，再把竹簡放在窗檯上對著陽光觀看。」周君照他的話做了，看見竹簡上現出龍、蛇、飛禽、走獸、車馬等，樣樣栩栩如生。周君非常高興。畫這個竹簡雖然極不容易，然而它的用途和未畫花紋、只用漆刷過的普通竹簡完全一樣。

【出處】

客有為周君畫莢者，三年而成。君觀之，與髹莢者同狀。周君大怒。畫莢者曰：「築十版之牆，鑿八尺之牖，而以日始出時加之其上而觀。」周君為之，望見其狀，盡成龍蛇禽獸車馬，萬物之狀備具。周君大悅。此莢之功非不微難也，然其用與素髹莢同。（《韓非子》〈外儲說左上第三十二〉）

患無由至

人有形體四肢，所以能支使它們，是由於它們能感知大腦的指揮。如果缺乏感知，形體四肢就會不聽使喚。君臣關係也是這樣，臣子對君主的號令不能無動於衷。不聽使喚的臣子，還不如沒有。聖明的君主能指揮本不屬於自己的臣子，舜、禹、湯、武王都能做到這一點。先王設立高官，一定先立好規矩。立好規矩，再明確職分。職責明確了，大家的分工就非常清晰。堯舜是賢明的君主，他們挑選賢士為接班人，而不把帝位傳給子孫。如今的君主，都想世代相襲保持君位，卻不懂得選官的規矩。他們為人貪婪，見識短淺。五音之所以和鳴，是因為各自的樂律明確。宮、徵、商、羽、角各處其位，音階準確，互不干擾。賢明的君主設立官職也是這樣。百官各司其職，做好本職工作。以此侍奉君主，君主沒有不安寧的；以此治理國家，國家沒有不興旺的；以此防備禍患，禍患就無從降臨了。

【出處】

人之有形體四肢，其能使之也，為其感而必知也。感而不知，則形體四肢不使矣。人臣亦然。號令不感，則不得而使矣。有之而不使，不若無有。主也者，使非有者也，舜、禹、湯、武皆然。先王之立高官也，必使之方，方則分定，分定則下不相隱。堯舜，賢主也，皆以賢者為後，不肯與其子孫，猶若立官必使之方。今世之人主，皆欲世勿失矣，而與其子孫，立官不能使之方，以私慾亂之也，何哉？其所欲者之遠，而所知者之近也。今五音之無不應也，其分審也。

宮、徵、商、羽、角，各處其處，音皆調均，不可以相違，此所以無不受也。賢主之立官有似於此。百官各處其職、治其事以侍主，主無不安矣；以此治國，國無不利矣；以此備患，患無由至矣。（《呂氏春秋》〈季春紀・圜道〉）

尊師為上

神農氏以悉諸為師，黃帝以大撓為師，帝顓頊以伯夷父為師，帝嚳以伯招為師，帝堯以子州支父為師，帝舜以許由為師，禹以大成贄為師，湯以小臣伊尹為師，文王、武王以呂望、周公旦為師，齊桓公以管夷吾為師，晉文公以咎犯、隨會為師，秦穆公以百里奚、公孫枝為師，楚莊王以孫叔敖、沈尹巫為師，吳王闔閭以伍子胥、文之儀為師，越王勾踐以范蠡、文種為師。這十位聖人、六位賢者沒有哪一個不尊重老師的。如今的人，地位不如帝王尊貴，才智不到聖明的境界，卻輕視尊師的教誨，又怎麼可能有大的作為呢？這正是五帝的王業棄絕、三代難以再現的原因啊。

【出處】

神農師悉諸，黃帝師大撓，帝顓頊師伯夷父，帝嚳師伯招，帝堯師子州支父，帝舜師許由，禹師大成贄，湯師小臣，文王、武王師呂望、周公旦，齊桓公師管夷吾，晉文公師咎犯、隨會，秦穆公師百里奚、公孫枝，楚莊王師孫叔敖、沈尹巫，吳王闔閭師伍子胥、文之儀，越王句踐師范蠡、大夫種。此十聖人六賢者，未有不尊師者也。

今尊不至於帝，智不至於聖，而欲無尊師，奚由至哉？此五帝之所以絕，三代之所以滅。（《呂氏春秋》〈孟夏紀・尊師〉）

兵者之論

世人有一種言論說：「驅使街市上的人去作戰，可以戰勝俸祿豐厚、訓練有素的士兵；依靠老弱疲憊的百姓，可以戰勝體格強壯、勇敢善戰的武士；憑藉散漫無紀的流浪漢和囚徒，可以戰勝隊列整齊的軍隊；依靠鋤頭木棒，可以戰勝手持長矛利刃的敵人。」說這種話，根本就是不懂用兵之道。給你一把利劍，如果劍術不精，刺不中敵人，擊不著目標，這同手持劣劍沒什麼區別，但並不意味著在搏鬥時就可以使用劣劍；統帥訓練有素、裝備精良的部隊，如果出擊不合時機，指揮不當，這同統帥訓練無素、裝備低劣的軍隊沒什麼區別，但並不意味著打仗時就可以統帥劣等軍隊。即便是王子慶忌、陳年那樣的勇士，尚且還希望寶劍鋒利，更何況一般人呢？訓練有素、裝備精良的部隊，讓卓有才幹的將領統帥它，古代有借此成就王業的，有借此成就霸業的，商湯、周武王、齊桓公、晉文公、吳王闔廬就是例子。

【出處】

世有言曰：「驅市人而戰之，可以勝人之厚祿教卒；老弱罷民，可以勝人之精士練材；離散係系，可以勝人之行陳整齊；鋤櫌白梃，可以勝人之長銚利兵。」此不通乎兵者之論。今有利劍於此，以刺則不中，以擊則不及，與惡劍無擇，為是鬥因用惡劍則不可。簡選精良，兵械銛利，發之則不時，縱之則不當，與惡卒無擇，為是戰因用惡卒則不可。王子慶忌、陳年猶欲劍之利也。簡選精良，兵械銛利，令能將將之，古者有以王者、有以霸者矣，湯、武、齊桓、晉文、吳闔廬是矣。（《呂氏春秋》〈仲秋紀・簡選〉）

賢主知士

生命重於天下，而士卻甘願為他人獻身。為他人獻身難能可貴，如果不是相知相敬，士又怎麼肯甘願獻身呢？賢明的君主都懂得尊敬士，以士為知己，這樣士才能盡心竭力，直言相諫，而不計較個人得失。豫讓、公孫弘甘願為智伯、孟嘗君獻身，是因為被引為知己。世上的君主得到方圓百里土地就滿心歡喜，四境之內都來慶賀，而得到賢士卻無動於衷，不知道應該慶賀：這完全是不知輕重啊。當初商湯、周武王只不過是擁有兵車千輛的諸侯，然而天下的士子都歸附他們；夏桀、殷紂貴為天子，士卻遠離他們。孔子和墨子只不過是身穿布衣的士子，擁有萬乘、千乘之國的君主卻無法與他們爭奪士。由此來看，尊貴富有並不足以吸引士子，君主一定要真心對待士，引為知己。

【出處】

天下輕於身，而士以身為人。以身為人者，如此其重也，而人不知，以奚道相得？賢主必自知士，故士儘力竭智，直言交爭，而不辭其患。豫讓、公孫弘是矣。當是時也，智伯、孟嘗君知之矣。世之人主，得地百里則喜，四境皆賀；得士則不喜，不知相賀：不通乎輕重也。湯、武，千乘也，而士皆歸之；桀、紂，天子也，而士皆去之。孔、墨，布衣之士也，萬乘之主，千乘之君，不能與之爭士也。自此觀之，尊貴富大不足以來士矣，必自知之然後可。（《呂氏春秋》〈季冬紀・不侵〉）

形影不離

聖人做事，看似遲緩，實際卻很迅疾，關鍵是等待時機。王季歷為國事操勞而死，周文王內心悲痛，時刻不忘被囚拘羑裡的恥辱；他之所以遲遲不肯討伐帝紂，是因為時機尚未成熟。武王臣事商紂，絲毫不敢懈怠，雖然時刻不忘父王在玉門被商紂辱罵的恥辱，但也要等到繼位十二年之後，才在甲子日打敗殷軍。時機得之不易。太公望是東夷人，他想一展抱負，卻一時遇不上明主。聽說文王賢明，於是到渭水邊釣魚，藉以觀察文王的品德。時機是機緣巧合。有商湯、武王的賢德，而沒有桀、紂的無道，商湯、武王也不能成就王業；有桀、紂的無道，而無商湯、武王的賢德，也不能成就王業。在聖人看來，人事與時機的關係，就像步行時身與影一樣不可分離。

【出處】

聖人之於事，似緩而急、似遲而速以待時。王季歷[17]困而死，文

17. 王季歷：即姬歷，周文王父親。

王苦之，有不忘羑裡之醜，時未可也。武王事之，夙夜不懈，亦不忘王門之辱。立十二年，而成甲子之事。時固不易得。太公望，東夷之士也，欲定一世而無其主。聞文王賢，故釣於渭以觀之。時亦然。有湯武之賢而無桀紂之時不成，有桀紂之時而無湯武之賢亦不成。聖人之見時，若步之與影不可離。（《呂氏春秋》〈孝行覽・首時〉）

有道之士

君主賢明，世道太平，賢德的人就處在上位；君主不肖，世道混亂，賢德的人就處在下位。如今周王室衰亡，天子滅絕，沒有比這更大的混亂了。沒有天子，世道就會出現以強凌弱、以多欺少的局面，列國相互殘殺，爭戰不休。當今之世，要尋求道行高深的聖賢，只能到四海邊、山谷中和偏遠幽靜的地方去尋找。只要得到了這樣的聖賢，還有什麼不能得到？想做什麼不能成功？太公望在滋泉釣魚，正逢商紂為天子，周文王因為得到他，因而能稱王天下。文王身為諸侯，紂身為天子，天子失去太公望，諸侯得到他，這是識賢與不識賢的差別。那些一般的平民百姓，不用瞭解他們就可役使，不用以禮相待就可使喚。至於道行高深的賢人，就一定要以禮相待，引為知己，然後他們才肯盡其聰明才智來輔佐你。周公聽從勝書的勸說，齊桓公下見小臣稷、魏文侯拜會段干木，就是禮賢下士的例子。

【出處】

主賢世治則賢者在上，主不肖世亂則賢者在下。今周室既滅，而天子已絕。亂莫大於無天子，無天子則強者勝弱，眾者暴寡，以兵相殘，不得休息。今之世當之矣。故當今之世，求有道之士，則於四海之內、山谷之中、僻遠幽閒之所，若此則幸於得之矣。得之則何欲而不得？何為而不成？太公釣於滋泉，遭紂之世也，故文王得之而王。文王，千乘也；紂，天子也。天子失之而千乘得之，知之與不知也。諸眾齊民，不待知而使，不待禮而令。若夫有道之士，必禮必知，然後其智能可盡。解在乎勝書之說周公，可謂能聽矣；齊桓公之見小臣稷、魏文侯之見田子方也，皆可謂能禮士矣。（《呂氏春秋》〈有始覽・謹聽〉）

臭味相投

得到君主的賞識和器重，並沒有一定之規，討人喜歡也有偶然性。就彷彿男人對於女性，沒有誰不喜歡長相漂亮的，但並不是每個人都有這種緣分。黃帝對嫫母說：「砥礪你的德行不要停止，專心於後宮治理不要懈怠，雖然你長相醜陋，又有什麼關係呢？」很多人喜歡甜品，但甜品並非對每人都適用。周文王很愛吃菖蒲根製作的醃菜，孔子吃一口就皺眉頭，三年才習慣它。齊國有個人有狐臭，他的父母、兄弟、妻子、朋友，沒有誰可以忍耐。他自己也感到痛苦，就搬到海邊去居住。偏偏海邊有人喜歡他的臭味，與他朝夕相伴，形影不離。

【出處】

故曰遇合也無常。說，適然也。若人之於色也，無不知說美者，而美者未必遇也。故嫫母執乎黃帝，黃帝曰：「厲女德而弗忘，與女正而弗衰，雖惡奚傷？」若人之於滋味，無不說甘脆，而甘脆未必受也。文王嗜昌蒲菹，孔子聞而服之，縮頞而食之。三年然後勝之。人有大臭者，其親戚兄弟妻妾知識無能與居者。自苦而居海上。海上人有說其臭者，晝夜隨之而弗能去。（《呂氏春秋》〈孝行覽・遇合〉）

物不可全

人不可能十全十美，萬物都是如此。有人用不愛兒子的名聲詆毀堯，以不孝順父親的名義詆毀舜，用內心貪圖帝位來詆毀禹，用謀劃放逐、殺死君主來詆毀商湯和周武王，用侵吞掠奪別國來詆毀五霸。由此看來，世上哪有十全十美呢？所以，君子要求他人只按照常人的標準，要求自己則按照禮義的標準。按照常人的標準要求他人就容易得到滿足，容易得到滿足就能得到別人擁護，按照禮義的標準要求自己就難以犯錯，難以犯錯行為就嚴正。承擔天地間的重任就遊刃有餘。缺乏賢德的人就不是這樣了。他們以禮義的標準要求他人，卻按常人的標準要求自己。按照禮義的標準要求他人就難以滿足，從而連最親近的人也會失去；按照常人的標準要求自己就容易做到，容易做到行為就苟且。所以天下雖大卻難以容身，自己性命難保，國家被顛覆。這就是桀、紂、周幽王、周厲王的所作所為啊。一尺長的樹木一定會有節結，一寸大的玉石也會有瑕疵。賢明的先王知道世間的事物不可能十全十美，所以對人對事的選擇只看重其長處。

【出處】

以全舉人固難，物之情也。人傷堯以不慈之名，舜以卑父之號，禹以貪位之意，湯、武以放弒之謀，五伯以侵奪之事。由此觀之，物豈可全哉？故君子責人則以人，自責則以義。責人以人則易足，易足則得人；自責以義則難為非，難為非則行飾。故任天地而有餘。不肖者則不然，責人則以義，自責則以人。責人以義責難瞻，難瞻則失親；自責以人則易為，易為則行苟；故天下之大而不容也，身取危，國取亡焉，此桀、紂、幽、厲之行也。尺之木必有節目，寸之玉必有瑕璫。先王知物之不可全也，故擇物而貴取一也。（《呂氏春秋》〈離俗覽・舉難〉）

駕馭之術

救火的時候，叫主管官員提著水壺水罐跑去救火，只能起到一個人的作用；拿起鞭子、短棍，就能役使上萬的人去救火。因此聖明的君主不親自管理小老百姓，不親自處理小事情。造父正在鋤草，這時有父子坐車路過，馬受驚不肯前行，兒子下車拉住馬，父親下來推車，並請造父幫忙。於是造父收拾農具，把它寄放車上。上前接過馬繩，剛拿起鞭子，馬就向前奔跑起來。假使造父不會駕車，即使全力幫忙推車，馬也不一定肯行。現在他坐在車上很安逸，農具也寄放在車上，又有恩德於人，這是因為他有技術駕馭馬車啊。國家是君主的車，權勢是君主的馬。君主沒有技術駕馭它，即便自己很努力，國家還是難免混亂；有技術來駕馭它，就不但身處安逸快樂的境地，還能取得帝王的功業。

【出處】

救火者，令吏挈壺甕而走火，則一人之用也；操鞭箠指麾而趣使人，則制萬夫。是以聖人不親細民，明主不躬小事。造父方耨，得有子父乘車過者，馬驚而不行，其子下車牽馬，父子推車，請造父助我推車。造父因收器輟而寄載之，援其子之乘，乃始檢轡持筴，未之用也，而馬轡驚矣。使造父而不能御，雖儘力勞身，助之推車，馬猶不肯行也。今身使佚，且寄載有德於人者，有術而御之也。故國者，君之車也；勢者，君之馬也。無術以御之，身雖勞猶不免亂；有術以御之，身處佚樂之地又致帝王之功也。（《韓非子》〈外儲說右下第三十五〉）

王壽焚書

王壽背著書走路，在大路上碰到徐馮。徐馮說：「事情都是靠人去做，怎麼做要根據當時的具體情況，聰明人做事沒有固定不變的辦法。書本是記載言論的，言論來源於人們對客觀事物的理解，聰明的人是不藏書的。現在你為什麼背著書本走路呢？」於是王壽燒了他的書，高興得手舞足蹈。《韓非子》評論說：「聰明人不必遵從書本的言論說教，不用藏書。不重書本知識、不藏書是世人指責的，王壽想重複這種做法，就是把不學習當學習了。」

【出處】

王壽負書而行，見徐馮於周，徐馮曰：「事者為也，為生於時，知者無常事。書者言也，言生於知，知者不藏書。今子何獨負之而行？」於是王壽因焚其書而舞之。故知者不以言談教，而慧者不以藏書篋。此世之所過也，而王壽復之，是學不學也。故曰：「學不學，復歸眾人之所過也。」（《韓非子》〈喻老第二十一〉）

秦國卷

秦國是周朝時華夏族在中國西北建立的一個諸侯國。秦人主要由西遷的華夏族人及當地土著人構成。秦國的遠祖最早可追溯到傳說中的顓頊帝。秦襄公參與平定西戎叛亂及護送平王東遷過程中立功，於西元前七六九年被封為諸侯，是秦作為諸侯國正式立國。從秦襄公立國到秦始皇滅六國一統天下，共歷三十一任，計約五百四十八年。其間秦穆公西部稱霸、秦孝公任用商鞅進行變法、昭襄王以范雎「遠交近攻」戰略奠定統一戰爭勝利基礎，令人印象深刻。

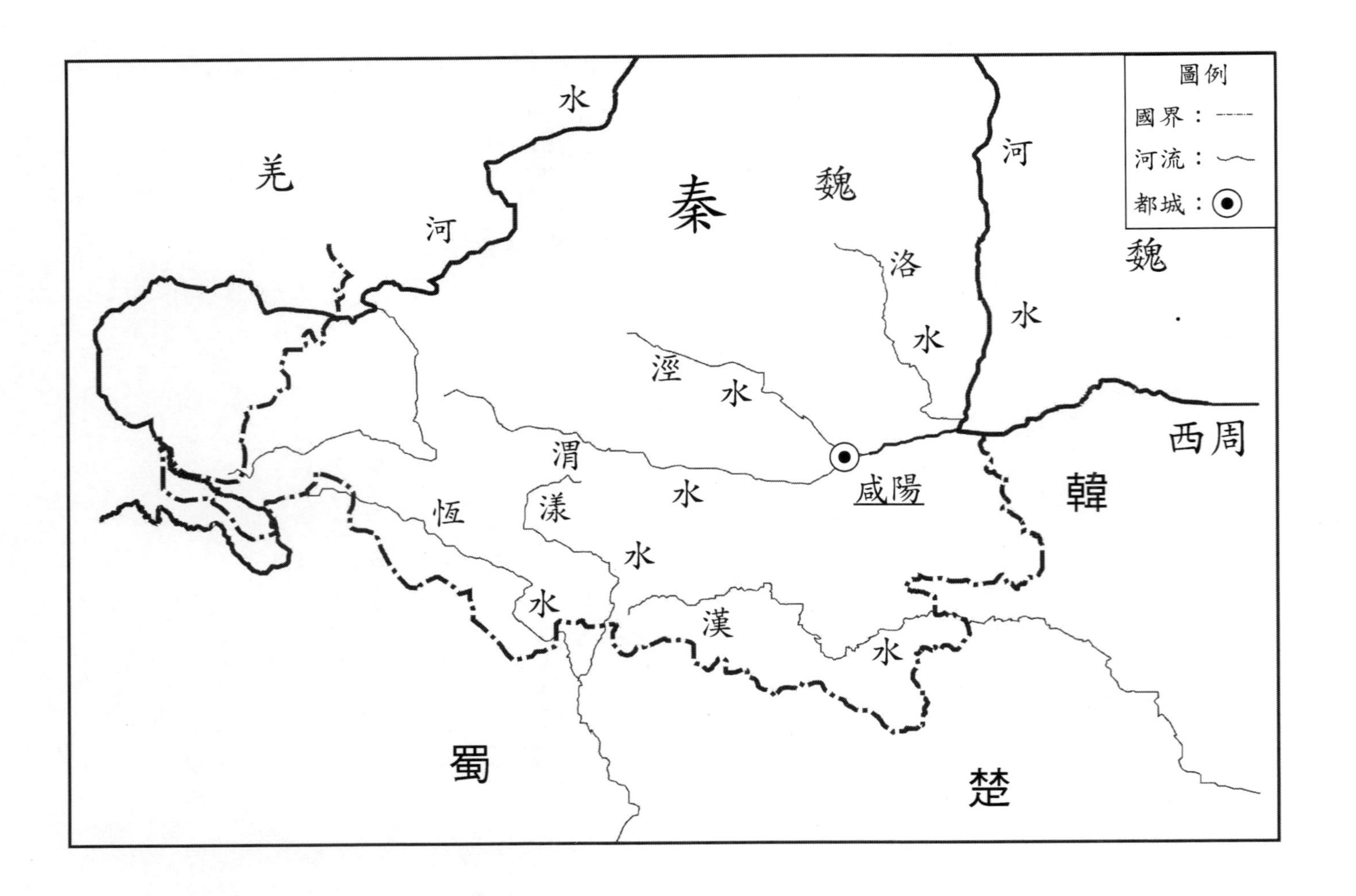
圖例
國界：
河流：
都城：
羌
水
河
秦
魏
洛
水
河
水
魏
涇
水
西周
咸陽
韓
渭
水
恆
漾
水
水
漢
水
蜀
楚

女修吞卵

根據遠古時代的傳說，秦國的君主，包括趙國君主的原始祖母，是一個名叫女修的女人。一種說法稱女修是顓頊時代的苗裔，也有人指稱她是顓頊帝的女兒或孫女，又或是黃帝長子少昊的女兒。有一天，女修在自家院子裡紡織，有隻小燕子落到院子內，生了一隻蛋後飛走了。女修走出屋子，順手撿起這隻燕卵吃了，不久就有了身孕。後來生下一個兒子，取名大業。大業成年之後，娶少典部落的女子女華為妻，生子伯益（大費）。伯益曾經參加大禹治水，由於治水有功，又輔佐舜帝馴服鳥獸，得到舜帝的首肯，舜帝不僅賜他姓嬴，還把自己家族的女子嫁給他為妻。

【出處】

秦之先，帝顓頊之苗裔孫曰女修。女修織，玄鳥隕卵，女修吞之，生子大業。大業取少典之子，曰女華。女華生大費，與禹平水土。已成，帝錫玄圭。禹受曰：「非予能成，亦大費為輔。」帝舜曰：「咨爾費，贊禹功，其賜爾皂游。爾後嗣將大出。」乃妻之姚姓之玉女。大費拜受，佐舜調馴鳥獸，鳥獸多馴服，是為柏翳。舜賜姓嬴氏。（《史記》〈秦本紀〉）

鑿井馴獸

伯益姓嬴，又稱伯翳、柏益、大費，是徐氏、黃氏、趙氏與秦王室的先祖、黃帝的第五代孫。有人說他是大業的兒子，有人說他是皋陶的兒子，有人又說大業與皋陶是同一個人。因為皋陶是東夷部落少昊的首領，所以伯益就成了東夷少昊的後代。伯益非常聰明能幹，在跟隨大禹治水時，能根據地勢水流的特點，指導百姓種植水稻，恢復和發展農業生產。因為長期與水土打交道，探知到地下水的祕密，於是發明了鑿井技術。以往人們靠近河流定居，河水氾濫時常常遭遇洪災；有了鑿井技術，不僅可以避開水患，北方廣袤的土地也能得到開發。伯益在治理山川過程中，還積累了馴服鳥獸的經驗，不僅輔佐舜帝調理馴服鳥獸，還把這方面的經驗傳授給普通民眾，當然，最為獲益的還是他的子孫。伯益長期與山川河流鳥獸打交道，博識廣聞，後世不少人懷疑《山海經》最早的版本，就出自他的手筆。伯益不僅僅只會幹活，也很有政治頭腦，在處理民族矛盾方面尤其有遠見卓識。舜帝的時候，三苗族離心離德，舜讓大禹以武力討伐，三苗不服；伯益提議恩威並舉，武德相濟，終於使三苗族感化歸順。大禹本來想把帝位禪讓給皋陶，但高壽一〇六歲的皋陶沒熬到那一天，禹於是把帝位傳給了皋陶的兒子伯益。不過大禹臨死前把主要親信都安排在重要崗位上，而這些人對夏禹的兒子啟更有好感。伯益審時度勢，等到啟為父親服喪三年期滿，便將帝位讓給了啟，從此中國的王位繼承由禪讓進入家天下世襲的階段。也有人說是夏禹的兒子啟不服伯益，率領華夏子民發動了征伐東夷的「有扈之亂」，伯益戰敗被殺，代表東夷集團的諸嬴勢力受到擠壓分化，被迫西遷。嬴秦從山東日照出發，不遠萬里，西越秦嶺，但始終未忘故土。秦人的墓葬頭始終朝向東方。

秦始皇登基後曾經數次東巡琅琊，明顯帶有尋根的味道。[1]

【出處】

令益予眾庶稻，可種卑濕。（《史記》〈夏本紀〉）

伯益作井，赤冀作臼。（《呂氏春秋》〈審分覽第五・勿躬篇〉）

佐舜調馴鳥獸，鳥獸多馴服，是為柏翳。（《史記》〈秦本紀〉）

帝曰：「棄，黎民阻飢，汝后稷，播時百穀。」（《尚書》〈虞書・舜典〉）

帝曰：「咨，禹！惟時有苗弗率，汝徂征。」禹乃會群后，誓於師曰：「濟濟有眾，咸聽朕命。蠢茲有苗，昏迷不恭，侮慢自賢，反道敗德，君子在野，小人在位，民棄不保，天降之咎，肆予以爾眾士，奉辭伐罪。爾尚一乃心力，其克有勳。」三旬，苗民逆命。益贊於禹曰：「惟德動天，無遠弗屆。滿招損，謙受益，時乃天道。帝初於歷山，往於田，日號泣於旻天，於父母，負罪引慝。祗載見瞽叟，夔夔齋栗，瞽亦允若。至誠感神，矧茲有苗。」禹拜昌言曰：「俞！」班師振旅。帝乃誕敷文德，舞干羽於兩階，七旬有苗格。（《尚書》〈虞書・大禹謨〉）

---

1. 有人認為古羌人也是秦人祖先的一支。

一日千里

伯益有兩個兒子，大廉和若木。大廉屬於苗裔，以鳥為圖騰，號鳥俗氏。若木以大費為姓，稱費氏。若木的玄孫費昌因為祖傳的馴獸技藝，特別擅長馴馬駕車，成為商湯御車的正駕。商湯與夏桀決戰於鳴條，費昌因擒獲夏桀立下赫赫戰功，被封為費侯。大廉的玄孫仲衍也成為商王的御駕。商紂王的時候，仲衍的後人蜚廉和惡來，一個是飛毛腿，一個是大力士。因為助紂為虐，惡來被周武王殺死，蜚廉因為奔跑技術一流倖免於難。蜚廉的後代季勝生子孟增，孟增的孫子就是號為遠古第一駕的造父。傳說他駕車拉周穆王外出遊玩，久不還朝，徐偃王趁機接管朝政。穆王得知消息，令造父駕車回朝。造父以日行千里的速度趕回都城，助穆王及時平定了叛亂。周穆王因其勞苦功高，將他封於趙城，造父由此成為趙氏的祖先。

【出處】

大費生子二人：一曰大廉，實鳥俗氏；二曰若木，實費氏。其玄孫曰費昌，子孫或在中國，或在夷狄。費昌當夏桀之時，去夏歸商，為湯御，以敗桀於鳴條。大廉玄孫曰孟戲、中衍，中衍鳥身人言。帝太戊聞而卜之使御，吉，遂致使御而妻之。自太戊以下，中衍之後遂世有功，以佐殷國，故嬴姓多顯，遂為諸侯。其玄孫曰中潏，在西戎，保西垂。生蜚廉。蜚廉生惡來。惡來有力，蜚廉善走，父子俱以材力事殷紂。周武王之伐紂，並殺惡來。是時蜚廉為紂使北方，還，無所報，為壇霍太山而報，得石棺，銘曰：「帝令處父不與殷亂，賜爾石棺以華氏。」死，遂葬於霍太山。蜚廉復有子曰季勝。季勝生孟增。孟增幸於周成王，是為宅皋狼。皋狼生衡父，衡父生造父。造父以善御幸於周繆王，周繆王得驥、溫驪、驊騮、騄耳之駟，西巡狩，樂而忘歸。徐偃王作亂，造父為繆王御，長驅歸周，一日千里以救亂。繆王以趙城封造父，造父族由此為趙氏。(《史記》〈秦本紀〉)

朕其分土

女防四代之後，嬴氏家族又出現一位養馬高手非子。非子居住在犬丘的偏遠地方，專注畜牧業，尤其擅長養馬。犬丘人向周孝王匯報非子的特長，孝王便召來非子，命他在汧水、渭水河畔養馬。非子養的馬膘肥體壯，繁衍很快。孝王想立非子為大駱的嫡子，繼承大駱的嬴氏宗嗣。非子本來就是大駱的兒子，但因為申侯的女兒是大駱的妻子，她生的兒子成已經立為嫡子。所以申侯對孝王說：「從前我們的祖先驪山之女，嫁給戎人胥軒為妻，生下中潏，中潏因為親戚關係而歸服於周，保守西垂，西戎因此與周室和睦相處。現在我又把女兒嫁給大駱為妻，生下嫡子成。申人和大駱再次通婚，西戎全都歸順，您才得以一統天下。請您再三斟酌。」周孝王於是答應仍然以申侯女兒所生的兒子成為大駱嫡子，以安撫西戎。孝王又說：「從前伯翳為舜帝掌管牲畜，牲畜繁衍很多，因此獲得封地，被賜姓嬴氏。現在他的後代為我養馬，貢獻也很大，我就封他一塊土地，成為周室的附庸吧。」於是孝王將非子封在秦地，讓他延續嬴氏的香火，號稱秦嬴。從此，中國西部邊陲有了秦國。

【出處】

非子居犬丘，好馬及畜，善養息之。犬丘人言之周孝王，孝王召使主馬於汧渭之間，馬大蕃息。孝王欲以為大駱適嗣。申侯之女為大駱妻，生子成為適。申侯乃言孝王曰：「昔我先酈山之女，為戎胥軒妻，生中潏，以親故歸周，保西垂，西垂以其故和睦。今我復與大駱妻，生適子成。申駱重婚，西戎皆服，所以為王。王其圖之。」於是孝王曰：「昔伯翳為舜主畜，畜多息，故有土，賜姓嬴。今其後世亦為朕息馬，朕其分土為附庸。」邑之秦，使復續嬴氏祀，號曰秦嬴。亦不廢申侯之女子為駱適者，以和西戎。（《史記》〈秦本紀〉）

西垂大夫

秦嬴的玄孫秦仲所處的時代，正是周厲王時期。周厲王橫徵暴斂，致使人心背離，諸侯反叛，此時西戎趁機入侵周王朝，搶奪擄掠，進入犬丘，剿滅了大駱一族。周宣王即位後，任命秦仲為大夫，率兵討伐西戎，結果戰敗被殺。秦仲在位二十三年，生有五個兒子，以莊公年長。周宣王於是召見莊公等兄弟五人，撥給他們七千士兵，命其再征西戎。五兄弟同仇敵愾，終於將西戎擊潰，奪回了大駱的失地。周宣王便將原大駱族所居住的犬丘賜給秦莊公，封他為西垂大夫。

【出處】

秦仲立三年，周厲王無道，諸侯或叛之。西戎反王室，滅犬丘大

西垂大夫

駱之族。周宣王即位，乃以秦仲為大夫，誅西戎。西戎殺秦仲。秦仲立二十三年，死於戎。有子五人，其長者曰莊公。周宣王乃召莊公昆弟五人，與兵七千人，使伐西戎，破之。於是復予秦仲後，及其先大駱地犬丘並有之，為西垂大夫。（《史記》〈秦本紀〉）

將兵救周

秦國早年崛起的每一次重大機遇，幾乎都源於戰亂。周幽王為博褒姒千金一笑，驪山舉火。申侯勾結犬戎入侵，將鎬京焚燬殆盡、洗劫一空。平王繼位後，為躲避犬戎侵犯，將國都從鎬京東遷洛邑（洛陽）。作為平叛西戎的得力幹將，秦襄公親自率兵，一路護送周平王到東都洛邑。平王因襄公護駕有功，於是將襄公從以前的西垂大夫升格為諸侯，並賜給他岐以西的地盤。平王說：「戎人無道，強占我岐、豐之地，你如果能攆走戎人，這片土地就都歸你所有。」於是他們訂立盟約，給秦襄公確定了領地與爵位。從這時開始，秦國遂成為諸侯國，與其他諸侯國互派使節往來。

【出處】

西戎犬戎與申侯伐周，殺幽王酈山下。而秦襄公將兵救周，戰甚力，有功。周避犬戎難，東徙洛邑，襄公以兵送周平王。平王封襄公為諸侯，賜之岐以西之地。曰：「戎無道，侵奪我岐、豐之地，秦能攻逐戎，即有其地。」與誓，封爵之。襄公於是始國，與諸侯通使聘享之禮，乃用騮駒、黃牛、羝羊各三，祠上帝西畤。十二年，伐戎而至岐，卒。生義公。（《史記》〈秦本紀〉）

以經邦國

秦國最初幾年與戎、狄的戰爭，均以失敗而告終。周平王五年，秦襄公在討伐犬戎的戰爭中陣亡。秦文公即位後的第四年，文公往東方打獵，來到汧、渭二水之間。文公說：「從前，周王室把這裡的土地賜給我們的祖先秦嬴（即非子）作為封邑，後來我們終於成為諸侯。」秦文公於是命人占卜這裡是否適宜居住，占卜的結果說吉利。文公於是下令營建城邑。十六年，文公擊敗西戎，收羅留居當地的周人，將國土延伸到岐山以西。十九年，文公在陳倉獲得寶石。二十年，開始設立記事史官及誅滅三族的刑法，[2]使百姓受到教化，結束了游牧生活。

【出處】

三年，文公以兵七百人東獵。四年，至汧、渭之會。曰：「昔周邑我先秦嬴於此，後卒獲為諸侯。」乃卜居之，占曰吉，即營邑之。十年，初為鄜畤，用三牢。十三年，初有史以紀事，民多化者。十六年，文公以兵伐戎，戎敗走。於是文公遂收周餘民有之，地至岐，岐以東獻之周。十九年，得陳寶。二十年，法初有三族之罪。二十七年，伐南山大梓，豐大特。四十八年，文公太子卒，賜謚為竫公。竫公之長子為太子，是文公孫也。五十年，文公卒，葬西山。（《史記》〈秦本紀〉）

---

2. 《史記》〈秦本紀〉說：「法初有三族之罪。」之後從「夷三族」逐步發展到「夷五族、九族」。大法家商鞅被秦惠文王「車裂並滅其族」。這裡的滅其族，是指沒出五服的族人全部被殺。

文公得寶

文公夢見有一條黃蛇，身子從天上下垂到地面，嘴巴一直伸到鄜城一帶的田野裡。文公以夢中的事詢問史敦，史敦回答說：「這是上帝的象徵，請君主祭祀它。」於是建立了鄜畤，[3]用三牲大禮郊祀白帝。在立鄜畤以前，雍城旁原有吳陽武畤，雍城東有好畤，都已廢棄無人祭祀。有人說：「自古以來，由於雍州地勢高，為神明聚居處，所以立畤郊祀上帝，其他諸神的祠廟也都聚集在這裡。大約黃帝時曾經有人在這裡祭祀，直到晚周還舉行郊祀。」這些話不見於經典，為縉紳大人所不言。作鄜畤以後九年，秦文公得到一塊質地像石頭的東西，在陳倉山北坡的城邑中祭祀它。它的神靈有時經歲不至，有時一年之中數次降臨，降臨常在夜晚，有光輝似流星，從東南方來，落在祠城中，像雄雞一樣，鳴叫聲殷殷然，引得野雞紛紛夜啼。祭祀這個神靈的供品，是用牛、羊、豬各一頭，這位神靈稱作「陳寶」。[4]

3. 鄜畤，是秦文公進入關中西部設立的第一畤，畤是專門用來祭祀天地和五帝的重要場所，古人認為祭祀是除軍事之外的國之大事，它對於國家政權穩定、軍事擴張以及發展壯大有著重要的作用。

4. 陳寶，即寶雞神。據《東周列國志》：陳倉人獵得一獸，似豬而多刺，擊之不死，不知其名，欲牽以獻文公。路遇二童子，指曰：「此獸名曰『蝟』，常伏地中，啖死人腦，若捶其首即死。」蝟也作人言曰：「二童子乃雉精，名曰『陳寶』，得雄者王，得雌者霸。」二童子被說破，即化為野雞飛去。其雌者止於陳倉山之北阪，化為石雞。視蝟，亦失去矣。獵人驚異，奔告文公。文公復立陳寶祠於陳倉山。

【出處】

文公夢黃蛇自天下屬地，其口止於鄜衍。文公問史敦，敦曰：「此上帝之徵，君其祠之。」於是作鄜畤，用三牲郊祭白帝焉。自未作鄜畤也，而雍旁故有吳陽武畤，雍東有好畤，皆廢無祠。或曰：「自古以雍州積高，神明之隩，故立畤郊上帝，諸神祠皆聚云。蓋黃帝時嘗用事，雖晚周亦郊焉。」其語不經見，縉紳者不道。作鄜畤後九年，文公獲若石云，於陳倉北阪城祠之。其神或歲不至，或歲數來，來也常以夜，光輝若流星，從東南來集於祠城，則若雄雞，其聲殷云，野雞夜雊。以一牢祠，命曰陳寶。（《史記》〈封禪書〉）

南山大梓

秦國的時候，武都郡故道縣南山有一座怒特祠，祠堂邊上長著一棵梓樹。秦文公二十七年，文公派人去砍伐這棵梓樹，頓時有狂風暴雨。樹上的創口隨砍隨合，整整砍伐了一天也沒有砍斷。秦文公增派士兵，拿著斧頭一起上陣，還是砍不斷。士兵們疲倦了回去休息，其中有個人腳傷了不能走路，只好躺在樹下，他聽見鬼對樹神說：「攻戰很辛勞吧？」樹神說：「哪裡算得上辛勞？」鬼說：「秦文公一定不肯罷休，怎麼辦？」樹神回答說：「秦文公能把我怎麼樣呢？」鬼說：「如果派人披著頭髮，用大紅絲線繞住樹幹，穿著赤褐色的衣服，撒著灰來砍你，你還堅持得住嗎？」樹神啞口無言。第二天，傷到腳的人把聽到的話報告秦文公，文公於是派士兵們按照鬼說的那樣做，而且砍出創口就用灰撒上。結果樹被砍斷，一頭青牛從樹中跑出來，跳入雍水。後來附近的居民，經常看見青牛出沒水中。文公知道後，派騎士守候擊殺。青牛力大，撞翻騎士。騎士披頭散髮去追它，青牛懼怕，從此不敢再露面。從那以後，秦國以牛為勇力的象徵，並奉以為神，於武都郡立怒特祠祭祀它。

【出處】

又終南山，有大梓樹，文公欲伐為殿材，鋸之不斷，砍之不入；忽大風雨，乃止。有一人夜宿山下，聞眾鬼向樹賀喜，樹神亦應之。一鬼曰：「秦若使人被其發，以朱絲繞樹，將奈之何？」樹神默然。明日，此人以鬼語告於文公。文公依其說，復使人伐之，樹隨鋸而斷。有青牛從樹中走出，徑投雍水。其後近水居民，時見青牛出水中。文公聞之，使騎士候而擊之。牛力大，觸騎士倒地。騎士髮散被面。牛懼更不敢出。文公乃制髦頭於軍中，復立怒特祠，以祭大梓之神。（《東周列國志》〈第四回〉）

民懼而潰

梁國滅亡的時候，《春秋》裡並沒有記載滅亡梁國的是誰，因為禍害完全是梁國自找的。梁伯喜好大興土木，屢次築城而無人居住，百姓疲倦得不堪忍受，就四處散布說：「某某敵人就要來了！」又在國君的宮室外挖溝說：「秦國將要襲擊我國。」老百姓因為害怕而潰散，秦國趁機獲取了梁國。[5]

5. 戰國時魏國也稱梁國。此梁國與彼梁國應屬兩個國家。

【出處】

梁亡，不書其主，自取之也。初，梁伯好土功，亟城而弗處，民罷而弗堪，則曰：「某寇將至。」乃溝公宮，曰：「秦將襲我。」民懼而潰，秦遂取梁。（《左傳》〈僖公十九年〉）

芮伯歸位

姬姓芮國是周成王時期任命的畿內諸侯，國君被稱為芮伯，一直是周王室的卿士重臣。魯桓公三年的時候，芮伯萬的母親芮姜因為厭惡芮伯的寵姬太多，覺得他荒淫無度，因此把他攆到同姓的魏國，另立為新的君主。芮國國小，又與秦國相鄰，秦公覺得這是個乘亂滅芮的機會，於是出兵伐芮，沒想到芮國國家雖小，戰鬥力卻強，輕敵的秦公因此打了敗仗。秦公於是轉而報告周桓王，以芮國逐君換君事未徵得周天子同意為由，鼓動周天子聯合出兵干預此事。周桓王因為被鄭莊公的軍隊射傷而顏面掃地，也認為芮國未經請示逐君換君有損周天子「天下共主」的尊嚴，於是會合秦國的軍隊一起出兵包圍魏國，找到芮伯並送他回國歸位。芮伯萬歸位後，因感激秦公的鼎力相助，理所當然成為秦國的附庸。秦穆公二十年，秦終於滅掉梁國、芮國。

【出處】

魯桓公三年，芮伯萬之母芮姜惡芮伯之多寵人也，故逐之，出居於魏。四年秋，秦師侵芮，敗焉，小之也。冬，王師、秦師圍魏，執芮伯以歸。（《左傳》〈桓公三年〉《左傳》〈桓公四年〉）

秦穆公二十年，秦滅梁、芮。（《史記》〈秦本紀〉）

始為秦音

周昭王親自統率軍隊征伐楚國。身高力大的辛餘靡擔任昭王的車右。軍隊返回，橫渡漢水的時候，橋壞被毀，昭王和蔡公落入江水。辛餘靡先把昭王救到北岸，接著又返回救起蔡公。周公因此封他為西方諸侯，做一方之長。當初，殷整甲遷徙到西河居住，因為思念故土，於是創作了最早的西方音樂。辛餘靡封侯後定居西山，繼承了這一音樂。秦穆公時令人在西山采風，將其作為秦國的音樂。

【出處】

周昭王親將征荊。辛餘靡長且多力，為王右。還反涉漢，梁敗，王及蔡公抎於漢中。辛餘靡振王北濟，又反振蔡公。周公乃侯之於西翟，實為長公。殷整甲徙宅西河，猶思故處，實始作為西音，長公繼是音以處西山，秦繆公取風焉，實始作為秦音。（《呂氏春秋》〈季夏紀・音初〉）

五羖大夫

晉獻公看到秦國日益崛起，為了討好秦國，就把自己的女兒，也就是太子申生的親姐姐嫁給秦穆公。為了顯示對這樁婚姻的重視，獻公不僅送給女兒大量美玉珠寶，還以幾十名奴僕做陪嫁，這其中，就有被俘的虞國大夫百里傒。百里傒不甘受辱，於半道逃脫，悄悄返回楚國故里宛邑。秦穆公聽說百里傒很有才幹，想用重金贖回，又怕楚人不答應，於是挑選一名武士做使者，帶著五張黑羊皮前往，對楚國人說：「敝國的陪嫁奴僕百里傒，半路逃往貴國，現用五張黑羊皮將其贖回，請貴國准許。」楚人果然毫不在意，讓人找到百里傒，將他交給了秦國使者。此時百里傒已有七十多歲。穆公親自迎他進宮，與他討論國家大事。百里傒推辭說：「我是亡國之臣，不值得君主看重。」穆公說：「虞君因為不聽您的勸告才導致亡國，這並不是您的過錯。」再三向他請教。於是百里傒從如何治理國家，談到用兵打仗，爭霸中原，說得頭頭是道。兩人一連談了三天三夜。穆公對百里傒非常敬佩，當即拜他為大夫，請他主持國政。因為是用五張羊皮換回來的，人們都戲稱百里傒為「五羖大夫」。

【出處】

繆公任好元年，自將伐茅津，勝之。四年，迎婦於晉，晉太子申生姊也。其歲，齊桓公伐楚，至邵陵。五年，晉獻公滅虞、虢，虜虞君與其大夫百里傒，以璧馬賂於虞故也。既虜百里傒，以為秦繆公夫人媵於秦。百里傒亡秦走宛，楚鄙人執之。繆公聞百里傒賢，欲重贖之，恐楚人不與，乃使人謂楚曰：「吾媵臣百里傒在焉，請以五羖羊皮贖之。」楚人遂許與之。當是時，百里傒年已七十餘。繆公釋其囚，與語國事。謝曰：「臣亡國之臣，何足問！」繆公曰：「虞君不用子，故亡，非子罪也。」固問，語三日，繆公大說，授之國政，號曰五羖大夫。（《史記》〈秦本紀〉）

厚迎蹇叔

秦穆公讓百里傒主持國政。百里傒推讓說：「我的朋友蹇叔見識和能力在我之上，但世人卻很少知曉他。從前我到齊國尋找做官的機會，生活陷入困境，是蹇叔收留了我。我想在齊君無知手下做事，多虧蹇叔的勸阻，我才沒捲入齊國內亂。到了周王室之後，周王子頹喜歡牛，我想借養牛求仕，正當我要獲得任用的時候，蹇叔卻勸阻我不要在周王室做事，我聽取了他的意見得以免遭殺身之禍。後來我到虞君手下做事，蹇叔又勸阻我。我雖然知道虞君不會重用我，但心裡貪圖爵祿，也就暫時留下了。三次求仕，我兩次聽從他的勸告得以脫身，一次沒聽，就碰上了虞君的亡國之難，由此可以看出他的賢能。」穆公聽說後，立即派人以貴重的禮物把蹇叔請來，封他為上大夫。

【出處】

百里傒讓曰：「臣不及臣友蹇叔，蹇叔賢而世莫知。臣常游困於齊而乞食銍人，蹇叔收臣。臣因而欲事齊君無知，蹇叔止臣，臣得脫齊難，遂之周。周王子頹好牛，臣以養牛干之。及頹欲用臣，蹇叔止臣，臣去，得不誅。事虞君，蹇叔止臣。臣知虞君不用臣，臣誠私利祿爵，且留。再用其言，得脫，一不用，及虞君難。是以知其賢。」於是繆公使人厚幣迎蹇叔，以為上大夫。（《史記》〈秦本紀〉）

聽歌認妻

秦穆公聘百里傒為相，有一次，百里傒舉辦堂會來款待客人。相府內有個洗衣服的女傭聽到樂器聲後，主動要求為上大夫百里傒演奏一曲，百里傒欣然表示同意。那老婦人走到大庭廣眾之下，落落大方地援琴撫弦，自彈自唱道：「百里傒啊，五張羊皮把你贖回來的，回憶我們別離的時候，我煮了一隻還在下蛋的母雞，舂了黃米，劈了木門栓當柴來給你做飯。今天你富貴了為什麼就忘了我？百里傒啊，五張羊皮把你贖回來的，你做父親的天天吃好飯好肉，你的兒子卻哭著喊餓。你做丈夫的穿著繡著花紋的衣服，你的妻子卻在幫別人洗衣服。可嘆啊，為什麼富貴了就忘了我？百里傒啊，五張羊皮把你贖回來的。當初的時候，你遠走他方我在哭泣。如今，你高坐高堂我卻游離失所。可嘆啊，為什麼富貴了就忘了我？」百里傒一聽歌聲，覺得眼前的這個老婦人，像是自己已失散了幾十年的結髮妻子，他急忙走下堂來仔細辨認，正是自己的妻子杜氏。

【出處】

百里傒為秦相，堂上作樂，所賃澣婦，自言知音，呼之，搏髀援琴，撫弦而歌者三。其一曰：「百里傒，五羊皮，憶別時，烹伏雌，炊扊扅，今日富貴忘我為。」其二曰：「百里傒，初娶我時五羊皮，臨當別時烹乳雞，今適富貴忘我為。」其三曰：「百里傒，百里傒，母已死，葬南溪，墳以瓦，覆以柴，舂黃藜，搤伏雞，西入秦，五羖皮，今日富貴捐我為。」問之，乃其故妻，還為夫婦也。(《風俗通義》〈情遇〉)

取雁讓賢

有一天，秦穆公與公孫支討論國政。公孫支顯得很驚訝，問秦穆公說：「君王最近心明眼亮，思維縝密，怕是得到了聖人的幫助吧？」秦穆公說：「是的。我十分欣賞百里傒的言論，他就跟聖人差不多。」公孫支回家取來一隻大雁向穆公表示祝賀，說：「君王得到了治國安邦的聖臣，此為國家之福。」穆公拜了兩拜，接受了公孫支的賀禮。第二天，公孫支向秦穆公提出辭去上卿的職位，並舉薦百里傒說：「秦國地處偏僻，百姓見識不廣，愚昧無知，這不利於國家的振興。我自知能力不及百里傒，因此請求將卿位讓給他。」穆公不答應。公孫支又說：「君主沒有經過賓相的舉薦得到聖臣，這是君主的福氣；我讓位於聖臣，也是我的福氣。現在君主已經得福，卻不讓我得福，怎麼行呢？」穆公仍然不肯。公孫支堅持說：「臣不才而居於高位，說明君主選拔人才有誤。大膽果斷地任用能人賢士，是君主英明的表現。如果我繼續待在上卿的位置上，既敗壞了君王的美德，又違背了我的意願，我將選擇逃走。」穆公於是答應了公孫支的請求，以百里傒為上卿，讓公孫支為次卿輔佐他。

【出處】

異日與公孫支論政，公孫支大不寧曰：「君耳目聰明，思慮審察，君其得聖人乎！」公曰：「然，吾悅夫傒之言，彼類聖人也。」公孫支遂歸取雁以賀曰：「君得社稷之聖臣，敢賀社稷之福。」公不辭，再拜而受，明日，公孫支乃致上卿以讓百里傒曰：「秦國處僻，民陋以愚無知，危亡之本也，臣自知不足以處其上，請以讓之。」公不許，公孫支曰：「君不用賓相而得社稷之聖臣，君之祿也；臣見賢而讓之，臣之祿也。今君既得其祿矣，而使臣失祿可乎？請終致之！」公不許。公孫支曰：「臣不肖而處上位是君失倫也，不肖失倫，臣之過，進賢而退不肖，君之明也，今臣處位，廢君之德而逆臣之行也，臣將逃。」公乃受之。故百里傒為上卿以制之，公孫支為次卿以佐之也。（《說苑》〈臣術〉）

人事其事

秦穆公任命百里傒為相國後不久，晉國派叔虎、齊國派東郭蹇出使秦國，公孫支請求會見晉齊兩國的使者。穆公說：「這是你職份內的事嗎？」公孫支回答說：「不是。」穆公說：「那麼是受相國的委派嗎？」回答說：「不是。」秦穆公說：「那麼你是要做不該你做的事。秦國地處偏僻，處於戎夷之地，即使事事有專職，人人守其責，仍擔憂被中原各國恥笑。現在你卻要做不是你職份內的事！下去吧，我會對你的罪過予以懲處。」公孫支去找百里傒訴苦，百里傒替他向穆公求情。穆公說：「這是相國該過問的事嗎？公孫支如果無罪，沒必要求情；倘若有罪，求情又有什麼用呢？」百里傒於是命令官吏對公孫支論罪行罰。確定官員的名份職守，這是古人實行法治的表現。秦穆公既然已經在向這個方向努力，他稱霸西戎豈不是情理之中的事嗎？

【出處】

秦繆公相百里傒。晉使叔虎、齊使東郭蹇如秦，公孫支請見之。公曰：「請見客，子之事歟？」對曰：「非也。」「相國使子乎？」對曰：「不也。」公曰：「然則子事非子之事也。秦國僻陋戎夷，事服其任，人事其事，猶懼為諸侯笑，今子為非子之事，退，將論而罪。」公孫支出，自敷於百里氏。百里傒請之。公曰：「此所聞於相國歟？支無罪傒請？有罪傒請焉？」百里傒歸，辭公孫支。公孫支徙，自敷於街。百里傒令吏行其罪。定分官，此古人之所以為法也。今繆公鄉之矣。其霸西戎，豈不宜哉？（《呂氏春秋》〈不苟論・不苟〉）

泛舟之役

晉惠公四年冬季，晉國大旱，糧食出現短缺，於是派人到秦國請求購買糧食。秦穆公問公孫支說：「要賣給他們糧食嗎？」公孫支回答說：「君主一再給予晉君恩惠，如果他不思報答，晉國的老百姓就會離心離德；到時候秦國出兵討伐他，沒有百姓的支持，他必然失敗。」秦穆公又問百里傒，百里傒回答說：「天災流行，總會在各國交替發生。救援災荒，周濟鄰國，這是正道。按正道辦事一定會得到福報。」丕鄭的兒子丕豹反對，認為應該趁機進攻晉國。秦穆公搖頭說：「晉國的國君不討人喜歡，但老百姓有什麼罪過？」於是安排運送糧食給晉國。秦國運送粟米的船隊從雍城到絳城接連不斷，人們把這次運糧稱之為「泛舟之役」。

【出處】

冬，晉薦飢，使乞糴於秦。秦伯謂子桑：「與諸乎？」對曰：「重施而報，君將何求？重施而不報，其民必攜，攜而討焉，無眾必敗。」謂百里：「與諸乎？」對曰：「天災流行，國家代有，救災恤鄰，道也。行道有福。」丕鄭之子豹在秦，請伐晉。秦伯曰：「其君是惡，其民何罪？」秦於是乎輸粟於晉，自雍及絳相繼，命之曰泛舟之役。（《左傳》〈僖公十三年〉）

秦晉之好

成語「秦晉之好」來源於秦國與晉國的政治聯姻傳統。重耳到了秦國以後，秦穆公想嫁給他五名宗室女子，包括原先嫁給子圉的懷嬴。[6]重耳一開始不想接受，司空季子說：「您將要攻打懷公了，何必顧慮接受他之前的妻子？況且，接受了這門親事就能得到秦國的幫助，有什麼必要拘泥於小禮節，而忘記自己的大恥呢？」於是重耳聽取意見接受了親事。穆公很高興，和重耳飲酒。……文公元年夏天，重耳迎娶夫人，秦國嫁給文公的妻子最終都被封為夫人。秦國送了三千名護衛，防範晉國再出現動亂。秦穆公為女兒準備了豐厚的嫁妝，僅衣著光鮮的陪嫁侍女就有七十多個。晉國的一些大臣看到陪嫁的侍女都很漂亮，幻想著能搶一個回家做妾，相反認為秦國的公主肯定不

---

6. 秦穆公所嫁五女中，以文嬴為正妻，懷嬴（辰嬴）為陪嫁媵妾。文嬴無子，在文公眾妃中排位第一，辰嬴生公子樂，眾妃中排位第九。但也有說法稱文嬴、懷嬴、辰嬴為同一人。參見《史記》〈晉世家〉《左傳》〈僖公二十三年〉《左傳》〈僖公三十三年〉《左傳》〈文公六年〉。

那麼漂亮。後來就以「愛媵賤女」形容辦事作文捨本逐末，本末倒置。

【出處】

重耳至秦，繆公以宗女五人妻重耳，故子圉妻與往。重耳不欲受，司空季子曰：「其國且伐，況其故妻乎。且受以結秦親而求入，子乃拘小禮，忘大醜乎！」遂受。繆公大歡，與重耳飲。……（文公元年）夏，迎夫人於秦，秦所與文公妻者卒為夫人。秦送三千人為衛，以備晉亂。（《史記》〈晉世家〉）

昔秦伯嫁其女於晉公子，令晉為之飾裝，從衣文之媵七十人。至晉，晉人愛其妾而賤公女。此可謂善嫁妾而未可謂善嫁女也。（《韓非子》〈外儲說左上第三十二〉）

忌則不克

秦穆公問晉國大夫郤芮說：「公子依靠誰？」郤芮回答說：「臣聽說逃亡在外的人沒有黨羽，有了黨羽必定就有仇敵。夷吾小時候不喜歡玩耍，能夠爭鬥而不過分，年紀大了也不改變，其他我就不知道了。」聽了郤芮的介紹，秦穆公對公孫支說：「你認為夷吾可以安定國家嗎？」公孫支說：「臣聽說，只有行為合乎準則，才能安定國家。《詩》說：『無慾無為，順應上帝的法則』，文王就是這樣的。又說，『不弄假，不傷殘，大多能成為典範』。沒有好惡也就是說既不猜忌也不好強。從郤芮的話裡可以知道夷吾既猜忌又好強，要他安定晉國，估計很難。」秦穆公笑著說：「猜忌多必生怨恨，作戰哪能取勝？這對我國是好事啊。」

【出處】

秦伯謂郤芮曰：「公子誰恃？」對曰：「臣聞亡人無黨，有黨必有仇。夷吾弱不好弄，能鬥不過，長亦不改，不識其他。」公謂公孫支曰：「夷吾其定乎？」對曰：「臣聞之，唯則定國。《詩》曰：『不識不知，順帝之則。』文王之謂也。又曰：『不僭不賊，鮮不為則。』[7]無好無惡，不忌不克之謂也。今其言多忌克，難哉！」公曰：「忌則多怨，又焉能克？是吾利也。」（《左傳》〈僖公九年〉）

怨不忘親

秦穆公的夫人穆姬，是晉獻公的女兒，太子申生的同母姐姐，而與惠公不同母親，為人賢德而有義氣。晉獻公死後，夷吾得到秦國的支援回國繼位。穆姬捎信給他，要他接納其他公子歸國，叮囑他說：「同宗兄弟，是你建國的根本。」惠公口頭答應，卻不照辦。惠公恩將仇報，在秦國遭遇飢荒時，不僅不提供援助，反而調集軍隊攻打秦國。秦穆公非常氣憤，後來在韓原之戰時打敗晉國，俘虜了惠公。押解回國途中，秦穆公吩咐手下說：「讓人把祖廟打掃乾淨，我要以晉國君主的首級祭獻祖先。」穆姬得知消息，立即和太子罃、公子宏和

---

7. 「不識不知，順帝之則」，出自《詩經》〈大雅・皇矣〉：「不僭不賊，鮮不為則」，出自《詩經》〈大雅・抑〉。

女兒簡璧穿上孝服，進入後園崇臺上搭好的草棚，在臺下堆積數十層乾柴。她派人傳話給穆公說：「秦晉兩國本是友好鄰邦，卻不能用玉帛相見，反而興師動眾，大動干戈，這是上天降下的災禍。我決意不見晉公，如果你把他帶入秦國國都雍城，那麼早上進來，我晚上就自焚而死，請你自己拿主意吧。」穆公非常恐慌，對左右說：「俘獲了晉侯應該慶賀高興，但如果以喪事作為結局，又有什麼用呢？」於是和晉侯在王城結盟，並饋送七牢之禮[8]遣返回國。

【出處】

穆姬者，秦穆公之夫人，晉獻公之女，太子申生之同母姊，與惠公異母。賢而有義。獻公殺太子申生，逐群公子。惠公號公子夷吾，奔梁。及獻公卒，得因秦立。始即位，穆姬使納群公子曰：「公族者，君之根本。」惠公不用，又背秦賂。晉飢，請粟於秦，秦與之。秦飢，請粟於晉，晉不與。秦遂興兵與晉戰，獲晉君以歸。秦穆公曰：「掃除先人之廟，寡人將以晉君見。」穆姬聞之，乃與太子罃、公子宏，與女簡璧，衰絰履薪以迎。且告穆公曰：「上天降災，使兩君匪以玉帛相見，乃以興戎。婢子娣姒，不能相教，以辱君命。晉君朝以入，婢子夕以死。惟君其圖之。」公懼，乃舍諸靈臺。大夫請以入，公曰：「獲晉君以功歸，今以喪歸，將焉用！」遂改館晉君，饋以七牢而遣之。（《列女傳》〈卷之二賢明傳〉《史記》〈秦本紀〉《左傳》〈僖公十五年〉）

---

8. 七牢之禮：古代天子饋賜諸侯的禮品。牢，牛、羊、豕為一牢。七牢，牛、羊、豕三牲各七。

相馬之機

秦穆公對伯樂說：「您的年紀大了，家族中還有誰可以繼承您的事業嗎？」伯樂回答說：「良馬可以從形狀、容貌、筋骨上看出來；至於馳行天下的千里馬則很難尋找。我的兒子們屬於下等人才，僅能夠教他們識別良馬。我有個一起上山砍柴的夥伴，名叫九方皋，此人的相馬術不在我之下，請您接見他。」穆公於是接見九方皋，派他出門尋找千里馬。三個月後，九方皋回來報告說：「馬找到了，在沙丘那兒。」穆公問：「是什麼馬？」九方皋回答道：「母馬，黃色的。」穆公派人去牽，派去的人報告說是一匹純黑色的公馬。穆公很不高興，召見伯樂說：「你推薦的人太差了，連顏色、公母都分不清楚，又怎麼能辨別馬的優劣呢？」伯樂長嘆一聲說：「竟到了這種地步了啊！這正是他比我高明不止千萬倍的地方啊！九方皋所看到的是馬的內在神機，觀察到它內在的精髓而忽略它的表面現象，洞察它的實質而忘記它的外表；只看他應該看到的東西，不看他不必看到的東西；只注意他應該注意的內容，而忽略他不必注意的形式。像九方皋這樣相馬，有比鑑別馬還要寶貴得多的意義。」後來馬送到了，果然是一匹天下少有的駿馬。

【出處】

秦穆公謂伯樂曰：「子之年長矣，子姓有可使求馬者乎？」伯樂對曰：「良馬可形容筋骨相也。天下之馬者，若滅若沒，若亡若失，若此者絕塵弭轍。臣之子皆下才也，可告以良馬，不可告以天下之馬也。臣有所與共擔纆薪菜者，有九方皋，此其於馬，非臣之下也。請見之。」穆公見之，使行求馬。三月而反，報曰：「已得之矣，在沙丘。」穆公曰：「何馬也？」對曰：「牝而黃。」使人往取之，牡而驪。穆公不說，召伯樂而謂之曰：「敗矣，子所使求馬者！色物、牝牡尚弗能知，又何馬之能知也？」伯樂喟然太息曰：「一至於此乎！是乃其所以千萬臣而無數者也。若皋之所觀，天機也，得其精而忘其粗，在其內而忘其外；見其所見，不見其所不見；視其所視，而遺其所不視。若皋之相者，乃有貴乎馬者也。」馬至，果天下之馬也。（《列子》〈說符〉）

食馬之德

一次，秦穆公乘車出行，半路上車子壞了，右側駕轅的馬脫韁而去，被一群山民抓住了。穆公率隨從找尋，在岐山的南面看到山民們正在分食馬肉。穆公說：「我聽說，吃馬肉如果不喝酒，馬肉會傷害身子的。」穆公讓人抬來幾罈酒，與他們一一碰杯後離去。過了一年，秦、晉在韓原展開激戰。晉國士兵包圍了秦穆公的兵車，大夫梁由靡已經抓住穆公車駕左側的馬匹，晉惠公的車右路石舉起長戈擊穿了穆公的六層鎧甲。危急時刻，曾在岐山之南分食馬肉的三百餘名山民們趕到，持器械拚死力戰，以報答吃馬肉而被赦免的不殺之恩。於是秦軍趁勢反擊，結果大勝晉軍，活捉了晉惠公。

【出處】

昔者，秦繆公乘馬而車為敗，右服失而野人取之。繆公自往求之，見野人方將食之於岐山之陽。繆公嘆曰：「食駿馬之肉而不還飲酒，余恐其傷女也！」於是遍飲而去。處一年，為韓原之戰。晉人已環繆公之車矣，晉梁由靡已扣繆公之左驂矣，晉惠公之右路石奮投而擊繆公之甲，中之者已六札矣。野人之嘗食馬肉於岐山之陽者三百有餘人，畢力為繆公疾鬥於車下，遂大克晉，反獲惠公以歸。（《呂氏春秋》〈仲秋紀・愛士〉）

蹇叔哭師

秦穆公就興師偷襲鄭國一事徵求意見。蹇叔說：「我聽說偷襲他國的城邑，動用戰車的距離不能超過一百里，步兵不超過三十里，以保證部隊在士氣旺盛、精力充沛時到達，進攻能一舉消滅敵人，也能夠迅速撤離。現在行軍幾千里，穿越好幾個國家去偷襲別人，能占到什麼便宜呢？」但是秦穆公沒有聽取他的意見。大軍出發那天，蹇叔含淚相送到城門外。蹇叔哭著說；「將士們啊，今天來給你們送別，恐怕你們很難活著回來了！」而後又私下對隨軍出征的兩個兒子說：「晉國如果阻擊我軍，一定是在崤山。你們戰死的話，盡量靠近山邊，以便我收屍時容易辨認。」穆公聽說了這件事，派人責備蹇叔說：「我發兵出征，還不知道勝負如何，你卻哭著送行，這是給我的軍隊哭喪啊。」蹇叔回答說：「我老了，有兩個兒子隨軍出征。等到軍隊返回，不是他們戰死，就是我老死，所以才哭。」秦軍經過周室都城的時候，王孫滿在城牆上觀看，預測這支缺少禮儀和秩序的部隊將會遭遇挫折。秦軍繼續向東行進。在滑國與鄭國商人弦高、奚施相遇。弦高判斷說：「秦軍一定是去偷襲鄭國。」於是讓奚施返回鄭國報告，自己則假奉鄭國國君的命令迎上去慰勞秦軍。孟明視等秦軍將領見鄭國已有準備，遂傳令回師。這時正好趕上文公去世，尚未安葬，先軫以秦國對晉文公去世未表示哀悼為由，勸說襄公在崤山伏擊秦軍。結果秦軍大敗，幾乎全軍覆沒。孟明視等三位主帥被俘。秦穆公得知秦軍在崤山全軍覆沒的消息後，身穿喪服，到宗廟裡哭告祖先，對眾人說：「上天不幫助秦國，才讓我沒有聽從蹇叔的勸阻，以致遭受如此慘烈的禍患。」

【出處】

昔秦繆公興師以襲鄭，蹇叔諫曰：「不可。臣聞之，襲國邑，以車不過百里，以人不過三十里，皆以其氣之趫與力之盛，至，是以犯敵能滅，去之能速。今行數千里、又絕諸侯之地以襲國，臣不知其可也。君其重圖之。」繆公不聽也。蹇叔送師於門外而哭曰：「師乎！見其出而不見其入也。」蹇叔有子曰申與視，與師偕行。蹇叔謂其子曰：「晉若遏師必於殽。女死不於南方之岸，必於北方之岸，為吾屍女之易。」繆公聞之，使人讓蹇叔曰：「寡人興師，未知何如？今哭而送之，是哭吾師也。」蹇叔對曰：「臣不敢哭師也。臣老矣，有子二人，皆與師行，比其反也，非彼死則臣必死矣，是故哭。」師行過周，王孫滿要門而窺之，曰：「嗚呼！是師必有疵。若無疵，吾不復言道矣。夫秦非他，周室之建國也。過天子之城，宜櫜甲束兵，左右皆下，以為天子禮。今袀服回建，左不軾，而右之超乘者五百乘，力則多矣，然而寡禮，安得無疵？」師過周而東。鄭賈人弦高、奚施將西市於周，道遇秦師，曰：「嘻！師所從來者遠矣。此必襲鄭。」遽使奚施歸告，乃矯鄭伯之命以勞之，曰：「寡君固聞大國之將至久矣。大國不至，寡君與士卒竊為大國憂，日無所與焉，惟恐士卒罷弊與糗糧匱乏。何其久也，使人臣犒勞以璧，膳以十二牛。」秦三帥對曰：「寡君之無使也，使其三臣丙也、術也、視也於東邊候晉之道，過是，以迷惑陷入大國之地。」不敢固辭，再拜稽首受之。三帥乃懼而謀曰：「我行數千里、數絕諸侯之地以襲人，未至而人已先知之矣，此其備必已盛矣。」還師去之。當是時也，晉文公適薨，未葬。先軫言於襄公曰：「秦師不可不擊也，臣請擊之。」襄公曰：「先君薨，尸在堂，見秦師利而因擊之，無乃非為人子之道歟？」先軫曰：「不弔吾喪，不憂吾哀，是死吾君而弱其孤也。若是而擊，可大強。臣請擊之。」襄公不得已而許之。先軫遏秦師於殽而擊之，大敗之，獲其三帥以歸。繆公聞之，素服廟臨，以說於眾曰：「天不為秦國，使寡人不用蹇叔之諫，以致於此患。」此繆公非欲敗於殽也，智不至也。智不至則不信。言之不信，師之不反也從此生。故不至之為害大矣。（《呂氏春秋》〈先識覽・悔過〉）

何人之罪

秦晉崤山之戰後，晉國釋放被俘虜的秦將。朝中大夫和身邊侍臣都對穆公說：「這次戰敗，是孟明視的罪過，一定要處死他。」秦穆公說：「這是我的過錯。周朝芮良夫的詩中說：『大風迅猛將一切摧毀，生性貪婪的人成為敗類。聽人講話就喜歡插嘴，誦讀《詩》《書》就昏昏欲睡，不能任用有才的賢人，行為舉止與道義相背。』詩中所說的就是我啊。」於是讓孟明視繼續執政。孟明視修明政事，善待士民，晉國的趙成子得知消息，對朝中大夫們說：「如果秦軍再次前來，一定要避開它。《詩》中說：『懷念你的祖先，修明你的德行。』孟明就是這樣做的，由於內心敬畏而不斷完善自我，這種人是不可抵擋的。」

【出處】

殽之役，晉人既歸秦帥，秦大夫及左右皆言於秦伯曰：「是敗也，孟明之罪也，必殺之。」秦伯曰：「是孤之罪也。周芮良夫之詩曰：『大風有隧，貪人敗類，聽言則對，誦言如醉，匪用其良，覆俾我悖。』[9]是貪故也，孤之謂矣。孤實貪以禍夫子，夫子何罪？」復使為政。（《左傳》〈文公元年〉）

秦伯猶用孟明。孟明增修國政，重施於民。趙成子言於諸大夫曰：「秦師又至，將必辟之，懼而增德，不可當也。《詩》曰：『毋念爾祖，聿修厥德。』[10]孟明念之矣，念德不怠，其可敵乎？」（《左傳》〈文公二年〉）

---

9. 「大風有隧，貪人敗類，聽言則對，誦言如醉，匪用其良，覆俾我悖」，出自《詩經》〈大雅・桑柔〉。

10. 「毋念爾祖，聿修厥德」，出自《詩經》〈大雅・文王〉。

濟河焚舟

秦穆公派兵出征伐晉。秦軍渡過黃河後，將船隻全部燒燬，意欲背水一戰。大軍勢不可檔，占領王官，一直推進到晉都城郊。晉軍固守不戰，秦軍於是從茅津口渡過黃河，在殽地為死亡的將士建了一座墳墓，然後回國。秦穆公自此將征戰的目光轉向西戎諸國。君子評價說：秦穆公作為國君，提拔人才考慮全面，任用人才專一無二；孟明作為臣子，努力不懈，善於吸取經驗教訓，才能夠一雪前恥。

【出處】

秦伯伐晉，濟河焚舟，取王官，及郊。晉人不出，遂自茅津濟，封殽屍而還。遂霸西戎，用孟明也。君子是以知「秦穆公之為君也，舉人之周也，與人之壹也；孟明之臣也，其不解也，能懼思也；子桑之忠也，其知人也，能舉善也。」（《左傳》〈文公三年〉）

計賺由余

魯文公元年，由余奉戎王之命出使秦國。戎王聽說穆公賢能，所以派由余到秦國考察。穆公向由余炫耀宮殿建築和物資儲備。由余說：「這些都是靠勞民傷財換來的。」穆公問他說：「中原各國以詩書禮樂和法度治理國家，尚且經常出亂子；現在戎夷沒有這些，治理國家豈不是很困難嗎？」由余笑著說：「這恰恰是中國內亂不斷的原因啊。三皇五帝制定禮樂和法度，以身作則，率先奉行，也僅僅達到小治；後來的統治者日益驕奢淫逸，倚仗法度的威嚴苛剝下民，結果導致民怨沸騰，指責統治者不仁不義。上下交相責怪，篡奪殺戮，以至斷子絕孫。戎夷的情況卻不是這樣，統治者以淳厚的仁愛之心對待下民，民眾以忠貞不渝的信義事奉其上。管理國家就像管理一個人那樣輕鬆，這才是真正的聖人之治啊。」穆公對內史廖說：「我聽說鄰國有聖人，是敵國所擔心的事情。由余賢能，就是秦國的心頭之患，該拿他怎麼辦呢？」內史廖說：「戎王地處偏僻閉塞，沒有聽到過中國的音樂。您不妨試探地送給他一些歌伎舞女，以消磨他的意志。同時盡量親近和挽留由余，耽誤他的歸期，使戎王生疑。君臣之間有了嫌隙，秦國就有了機會。」穆公於是和由余連席而坐，傳器而食。令內史廖把八人一列的兩隊歌伎舞女送給戎王。戎王非常喜歡，終日沉溺於吃喝淫樂，不理政事。這時秦國才放回由余，由余屢次勸諫均不為採納。戎王不分晝夜地大吃大喝，身邊有誰說秦軍將會來襲就開弓射誰。整年也不搬遷一次，牧養的牲畜死去一半。秦穆公不斷派人暗中邀請由余，由余終於棄戎降秦。秦穆公拜由余為上卿，向他瞭解西戎的軍事形勢與地形狀況，而後採納他的計策打敗戎王，兼併了周邊的十二個國家，開拓了方圓千里的土地，終於稱霸西戎。

【出處】

戎王使由余於秦。由余，其先晉人也，亡入戎，能晉言。聞繆公賢，故使由余觀秦。秦繆公示以宮室、積聚。由余曰：「使鬼為之，則勞神矣。使人為之，亦苦民矣。」繆公怪之，問曰：「中國以詩書禮樂法度為政，然尚時亂，今戎夷無此，何以為治，不亦難乎？」由余笑曰：「此乃中國所以亂也。夫自上聖黃帝作為禮樂法度，身以先之，僅以小治。及其後世，日以驕淫。阻法度之威，以責督於下，下罷極則以仁義怨望於上，上下交爭怨而相篡弒，至於滅宗，皆以此類也。夫戎夷不然。上含淳德以遇其下，下懷忠信以事其上，一國之政猶一身之治，不知所以治，此真聖人之治也。」於是繆公退而問內史廖曰：「孤聞鄰國有聖人，敵國之憂也。今由余賢，寡人之害，將奈之何？」內史廖曰：「戎王處辟匿，未聞中國之聲。君試遺其女樂，以奪其志；為由余請，以疏其間；留而莫遣，以失其期。戎王怪之，必疑由余。君臣有間，乃可虜也。且戎王好樂，必怠於政。」繆公曰：「善。」因與由余曲席而坐，傳器而食，問其地形與其兵勢盡詧，而後令內史廖以女樂二八遺戎王。戎王受而說之，終年不還。於是秦乃歸由余。由余數諫不聽，繆公又數使人間要由余，由余遂去降秦。繆公以客禮禮之，問伐戎之形。……三十七年，秦用由余謀伐戎王，益國十二，開地千里，遂霸西戎。（《史記》〈秦本紀〉）

節儉得國

秦穆公問由余說：「古時候的帝王，得到國家和失去國家，主要是因為什麼原因呢？」由余說：「可能是由於節儉得國，奢侈失國。」秦穆公說：「我想知道奢侈和節儉的界限。」由余說：「我聽說唐堯執掌天下時，吃飯用土碗，飲水用土鼎，四海臣服。虞舜繼承帝位，砍樹削木作為食具，銷鑄銅鐵製作刀具，雖然漆成黑色來使用，但諸侯認為奢侈過度、不肯臣服的國家有十三個。大禹繼位後，製作祭器巧加雕飾，杯盤食勺予以彩繪，因而不肯服從的國家增加到三十二個。夏朝滅亡後，殷商、西周承接，更加奢侈無度，製作金玉裝飾的大車，樹立天子的旌旗，食具精雕細琢，杯盤刻花鏤紋，四壁掛上帷帳，坐墊臥席也雕文繪彩，因而不肯臣服的國家增加到五十二個。國君如果喜好文采修飾，臣服的人就會更加奢侈。所以說節儉才是正道。」

【出處】

秦穆公閒，問由余曰：「古者明王聖帝，得國失國，當何以也？」由余曰：「臣聞之，當以儉得之，以奢失之。」穆公曰：「願聞奢儉之節。」由余曰：「臣聞堯有天下，飯於土簋，啜於土鉶，其地南至交趾，北至幽都，東西至日所出入，莫不賓服。堯釋天下，舜受之，作為食器，斬木而裁之，銷銅鐵，修其刃，猶漆黑之以為器。諸侯侈，國之不服者十有三。舜釋天下，而禹受之，作為祭器，漆其外而朱畫其內，繒帛為茵褥，觴勺有彩，為飾彌侈，而國之不服者三十有二。夏后氏以沒，殷周受之，作為大器，而建九傲，食器雕琢，觴勺刻鏤，四壁四帷，茵席雕文，此彌侈矣，而國之不服者五十有二。君好文章，而服者彌侈，故曰儉其道也。」（《說苑》〈反質〉）

計賺鄀國

秦晉兩國的軍隊聯合攻打鄀國，楚國派鬬克、屈禦寇率領申、息兩地的軍隊戍守鄀國的都城商密。秦軍進入鄀地，繞道經過析城時，捆綁自己的士兵假裝為俘虜，並包圍商密。黃昏的時候，秦軍逼近城下。夜裡，秦軍掘地歃血，放置盟書，假裝和鬬克、禦寇盟誓的樣子。商密的人非常害怕，相互轉告說：「秦軍已經占領了析地，戍守的楚人背叛了我們。」於是開門向秦軍投降。秦軍囚禁了申公鬬克、息公屈禦寇之後回國。

【出處】

秋，秦、晉伐鄀。楚鬬克、屈禦寇以申、息之師戍商密。秦人過析隈，入而係輿人以圍商密，昏而傅焉。宵，坎血加書，偽與子儀、子邊盟者。商密人懼曰：「秦取析矣，戍人反矣。」乃降秦師。囚申公子儀、息公子邊以歸。楚令尹子玉追秦師，弗及，遂圍陳，納頓子于頓。（《左傳》〈僖公二十五年〉）

夢見上帝

秦穆公即位後，病臥五天不省人事。醒來後，自稱夢見了上帝，上帝命令他平定晉國的內亂。史官將此事記載下來藏於內府。而後世都說秦穆公曾經上天。

【出處】

秦繆公立，病臥五日不寤；寤，乃言夢見上帝，上帝命繆公平晉亂，史書而記，藏之府。而後世皆曰秦繆公上天。（《史記》〈封禪書〉）

弄玉吹簫

簫史是秦穆公時人，善吹簫，能使孔雀、白鶴聞聲飛落庭院。穆公有個女兒叫弄玉，喜歡簫史，穆公就把她嫁給了簫史。簫史每天教弄玉吹簫，模仿鳳的叫聲。這樣過了幾年，弄玉吹的簫聲與鳳鳴聲非常相似，鳳凰聽到簫聲，都飛來停息在他們的屋上。穆公就替他們造了一座臺，名為鳳臺。簫史夫婦居住臺上達數年之久，某日隨著鳳凰一同飛去。為此，秦國替弄玉在雍宮內造了一座祠堂，名為鳳女祠，還經常能聽到簫聲在祠內迴蕩。

【出處】

蕭史者，秦穆公時人。善吹簫，能致孔雀、白鵠於庭。穆公有女，字弄玉，好之。公遂以女妻焉。曰教弄玉作鳳鳴。居數年，吹似鳳聲，鳳皇來止其屋。公為作鳳臺，夫婦止其上，不下數年。一旦，皆隨鳳飛去。故秦人為作鳳女祠於雍宮中，時有簫聲而已。（《列仙傳》〈簫史〉）

活人殉葬

秦穆公三十九年，穆公死，葬於雍城，陪葬者多達一百七十七人，秦國子輿氏的三位賢臣奄息、仲行、鍼虎也在殉葬之列。秦人作

《黃鳥》之詩表達對「三良」之死的哀傷。[11]君子評價此事說：「秦穆公擴地並國，東面打敗強晉，西面稱霸戎夷，然而卻不能稱霸諸侯，與他的德行是密切相關的。古代重視選賢使能，樹立風俗教化，制定法度準則，使後人得福。現在穆公不但不能貽福於後代，反而以賢良的人作為殉葬，秦國一時很難復東征了。」

【出處】

三十九年，繆公卒，葬雍。從死者百七十七人，秦之良臣子輿氏三人名曰奄息、仲行、鍼虎，亦在從死之中。秦人哀之，為作歌《黃鳥》之詩。君子曰：「秦穆公廣地益國，東服強晉，西霸戎夷，然不為諸侯盟主，亦宜哉。死而棄民，收其良臣而從死。且先王崩，尚猶遺德垂法，況奪之善人良臣百姓所哀者乎？是以知秦不能復東征也。」繆公子四十人，其太子代立，是為康公。（《史記》〈秦本紀〉）

襲秦為實

秦康公花了三年時間修築高臺。楚國出兵，準備攻打齊國。任妄說：「飢荒會招來敵兵，疾病瘟疫會招來敵兵，民力疲憊會招來敵兵，政局混亂會招來敵兵。您花三年時間修築高臺，百姓疲憊至極，如今楚國號稱要出兵攻齊，我怕他們以攻齊為名，行偷襲秦國之實。不如多加防範。」秦國於是派兵在東面邊境戍守，楚國果然停止了軍事行動。

---

11. 參見《詩經》〈黃鳥〉。

【出處】

秦康公築臺三年，荊人起兵，將欲以兵攻齊。任妄曰：「飢召兵，疾召兵，勞召兵，亂召兵。君築臺三年，今荊人起兵，將攻齊，臣恐其攻齊為聲，而以襲秦為實也，不如備之。」戍東邊，荊人輟行。（《韓非子》〈說林上第二十二〉）

不侍二主

秦國小主即位時年僅二歲，由太后主持朝政。太后重用宦官奄變，一時朝野憤慨，人心思變。公子連此時正流亡魏國，得知這一情況，打算趁機回國，取代小主。好不容易到達要塞鄭所，把守邊關的右主然卻不肯放他入關，對他說：「我必須堅守為臣的道義，不能同時侍奉兩位君主，公子請快點離開吧。」公子連只好輾轉北狄。在焉氏塞，把守關口的菌改順利放他進關。太后得知消息，立即派兵前往阻攔。軍隊走到半路發動嘩變，迎立公子連返回國都。太后、出公皆死，公子連繼立為君，這就是秦獻公。獻公怨恨右主然，想重重處罰他，同時重賞菌改。大夫監突進諫說：「這樣做不妥。秦國公子流亡在外的很多，如果臣子們爭相讓他們進入關內，恐怕對您不利啊。」獻公認為他說得有理，於是赦免了右主然，賜菌改為大夫，賞給守塞的士卒每人二十石米。恰如其分的賞賜關係到國家的治亂安危。大凡賞賜人，並不是因為喜愛他；處罰人，也不是因為憎惡他。賞罰要看行為導致的結果而定：結果好，即使憎惡他也要賞賜；結果不好，即使喜愛他也要處罰。

【出處】

秦小主夫人用奄變，群賢不說自匿，百姓郁怨非上。公子連亡在魏，聞之，欲入，因群臣與民從鄭所之塞。右主然守塞，弗入，曰：「臣有義，不兩主，公子勉去矣！」公子連去，入翟，從焉氏塞，菌改入之。夫人聞之，大駭，令吏興卒。奉命曰：「寇在邊。」卒與吏其始發也，皆曰：「往擊寇。」中道，因變曰：「非擊寇也，迎主君也。」公子連因與卒俱來，至雍，圍夫人，夫人自殺。公子連立，是為獻公。怨右主然，而將重罪之；德菌改，而欲厚賞之。監突爭之曰：「不可。秦公子之在外者眾，若此，則人臣爭入亡公子矣，此不便主。」獻公以為然，故復右主然之罪，而賜菌改官大夫，賜守塞者人米二十石。獻公可謂能用賞罰矣。凡賞非以愛之也，罰非以惡之也，用觀歸也。所歸善，雖惡之，賞；所歸不善，雖愛之，罰。此先王之所以治亂安危也。（《呂氏春秋》〈不苟論・當賞〉）

與之分土

秦孝公有雄心壯志，下令全國說：「從前我們的祖先穆公崛起於岐、雍之間，講求文德武功，向東平定晉國內亂，以黃河與晉劃界，向西稱霸戎翟，擴地千里。天子承認秦國的霸業，諸侯都來祝賀。不幸厲共公、躁公、簡公、出子在位期間，國家內亂頻仍，無暇應付外患。三晉於是趁機攻占了河西之地，而諸侯鄙視秦國，沒有比這更大的恥辱了。獻公即位後，安撫邊境，遷都櫟陽，打算舉兵東征，收復失地，重整穆公時的霸業。想到先君的意願，我感到痛心。賓客群臣中，有能進獻奇計使我秦國強大者，我將封以高官，賞給土地。」隨即出兵東圍陝城，西斬戎族的獂王。

【出處】

孝公於是布惠，振孤寡，招戰士，明功賞。下令國中曰：「昔我繆公自岐雍之間，修德行武，東平晉亂，以河為界，西霸戎翟，廣地千里，天子致伯，諸侯畢賀，為後世開業，甚光美。會往者厲、躁、簡公、出子之不寧，國家內憂，未遑外事，三晉攻奪我先君河西地，諸侯卑秦、醜莫大焉。獻公即位，鎮撫邊境，徙治櫟陽，且欲東伐，復繆公之故地，修繆公之政令。寡人思念先君之意，常痛於心。賓客群臣有能出奇計強秦者，吾且尊官，與之分土。」於是乃出兵東圍陝城，西斬戎之獂王。（《史記》〈秦本紀〉）

強國之術

衛鞅聽說秦孝公頒布求賢令招募人才，要重整秦穆公時代的霸業，於是來到秦國，托景監求見孝公。第一次拜見孝公，衛鞅用堯、舜治國的方法勸說孝公，孝公一邊聽一邊打瞌睡，事後還怒景監說：「你的客人出言狂妄，這種人怎麼能任用呢。」衛鞅請求再次拜見孝公。這一次他用禹、湯、文、武的治國方法勸說孝公，但孝公仍然聽不進去。衛鞅調整策略，請求孝公再召見一次。會見結束後，孝公對景監說：「你的客人不錯，可以和他談談了。」景監轉告衛鞅，衛鞅說：「我介紹了春秋五霸的治國方法，看來他有心採納。下一次我知道該說什麼啦。」衛鞅第四次拜見孝公，兩人談得非常投機，一連好幾天不覺厭倦。景監問衛鞅說：「您提出了什麼好主意，讓我們國君如此高興？」衛鞅回答說：「我勸君主採用帝王治國的辦法，建立夏、商、周那樣的盛世，君主說，時間太長了不能等，希望在位時就能名揚天下，成為賢明的君主。於是我用富國強兵的辦法勸說他，他高興地採納了。只是這樣一來也就不能與殷、周的德行媲美了。」

【出處】

公孫鞅聞秦孝公下令國中求賢者，將修繆公之業，東復侵地，乃遂西入秦，因孝公寵臣景監以求見孝公。孝公既見衛鞅，語事良久，孝公時時睡，弗聽。罷而孝公怒景監曰：「子之客妄人耳，安足用邪！」景監以讓衛鞅。衛鞅曰：「吾說公以帝道，其志不開悟矣。後五日，復求見鞅。」鞅復見孝公，益愈，然而未中旨。罷而孝公復讓景監，景監亦讓鞅。鞅曰：「吾說公以王道而未入也。請復見鞅。」鞅復見孝公，孝公善之而未用也。罷而去。孝公謂景監曰：「汝客善，可與語矣。」鞅曰：「吾說公以霸道，其意欲用之矣。誠復見我，我知之矣。」衛鞅復見孝公。公與語，不自知膝之前於席也。語數日不厭。景監曰：「子何以中吾君？吾君之歡甚也。」鞅曰：「吾說君以帝王之道比三代，而君曰：『久遠，吾不能待。且賢君者，各及其身顯名天下，安能邑邑待數十百年以成帝王乎？』故吾以強國之術說君，君大說之耳。然亦難以比德於殷、周矣。」（《史記》〈商君列傳〉）

成法可更

秦孝公想採用衛鞅的意見，實行新法，但擔心大臣們不同意，就把衛鞅、甘龍、杜摯三位大夫找來一起辯論。衛鞅勸告孝公儘快推行新法說：「行動猶豫不決就不會成名，做事猶豫不決就很難成功。主上不應該顧忌別人的看法。郭偃說：『探討最高道德的人不附和世俗；建立豐功偉績的人不徵詢眾人的意見。』只要有利於國家治理，聖人絕不會拘泥於舊法度；如果對人民有利，聖人不受限於舊禮制。」孝公回答說：「你說得對。」甘龍說：「不是這樣的。臣下聽說聖人不改變舊俗來施行教化，智者不改變成法來治理國家。沿襲舊俗去施行教化，不費什麼氣力就能成功；依據法度治理國家，官吏熟悉，百姓也能相安。現在主上要變更法度，摒棄舊制，臣下擔心會招致天下人的非議，希望您仔細斟酌。」衛鞅反駁說：「您講的都是陳詞濫調。夏商周三朝治國原則不同，但都成就了帝業，春秋五霸的法度有別，卻都成為諸侯的盟主。智慧的人創造法度，愚昧的人被法度牽制；賢能的人改革禮制，庸碌的人被法度約束。受舊禮制和法度約束的人，不配和我們商討治國之道，主上不必再猶豫了。」杜摯說：「沒有百倍的好處，就不改變法度；不到十倍的功效，就不改換器械。我聽說倣法古人就不會犯錯，遵守禮制就沒有奸邪。主上請仔細考慮。」衛鞅說：「治理國家，並不只有一種方法。往古歷代政教不同，我們該倣法哪一個？前代帝王並不互相因襲，我們該遵循誰的禮制？從伏羲、神農，到黃帝、堯舜、文王、武王，無不是順應時勢建立法度，根據現實規定禮制。商湯、周武不拘守古法而得到天下，殷紂、夏桀未改變禮制卻遭到滅亡。違反古制的人無可指責，遵循舊禮的人也不值得讚揚。主上別再猶豫了。」於是孝公不顧甘龍、杜摯等人的反對，封衛鞅為商君，全面推行新法。

【出處】

秦孝公欲用衛鞅之言，更為嚴刑峻法，易古三代之制度，恐大臣不從，於是召衛鞅、甘龍、杜摯三大夫御於君，慮世事之變計，正法之本，使民道。君曰：「代位不亡社稷，君之道也；錯法務明主，長臣之行也。今吾欲更法以教民，吾恐天下之議我也。」公孫鞅曰：「臣聞疑行無名，疑事無功，君前定變法之慮，行之無疑，殆無顧天下之議，且夫有高人之行者，固負非於世；有獨知之慮者，必見謷於民。語曰：『愚者晤成事，知者見未萌。』民不可與慮始，可與樂成功。郭偃之法曰：『論至德者，不和於俗；成大功者，不謀於眾。』法者所以愛民也，禮者所以便事也。是以聖人苟可以治國，不法其故；苟可以利民，不循其禮。」孝公曰：「善。」甘龍曰：「不然。臣聞聖人不易民而教，知者不變法而治。因民而教者，不勞而功成，據法而治者，吏習而民安之。今君變法不循故，更禮以教民，臣恐天下之議君，願君熟慮之。」公孫鞅曰：「子之所言者，世俗之所知也。常人安於所習，學者溺於所聞，此兩者所以居官而守法也，非所與論於典法之外也。三代不同道而王，五霸不同法而霸。知者作法，而愚者制焉；賢者更禮，不肖者拘焉。拘禮之人，不足與言事；製法之人，不足與論治。君無疑矣。」杜摯曰：「利不百不變法，攻不什不易器。臣聞之法古無過，循禮無邪，君其圖之。」公孫鞅曰：「前世不同教，何古之法？帝王者不相復，何禮之循？伏羲神農，教而不誅；黃帝堯舜，誅而不怒；及至文武，各當其時而立法因事制禮。禮法兩定，制令各宜，甲兵器備，各便其用。臣故曰治世不一道，便國不必古。故湯武之王也不循古，殷夏之滅也不易禮。然則反古者未可非也，循禮者未足多也，君無疑矣。」孝公曰：「善。吾聞窮鄉多怪，曲學多辯。愚者之笑，和者哀焉；狂夫之樂，賢者憂焉。拘世之議，人心不疑矣。」於是孝公違龍、摯之善謀，遂從衛鞅之過言，法嚴而酷刑深，而必守之以公，當時取強，遂封鞅為商君。（《新序》〈善謀第九〉）

南門立木

秦孝公任用商鞅準備變法。新法準備就緒而未公布之時，商鞅擔心百姓不信，於是在國都市場的南門豎起一根三丈長的木頭，以黃金十兩為賞，獎勵百姓中能把木頭搬到北門的人。百姓覺得這件事很奇怪，沒人敢動。後來又宣布：「能把木頭搬到北門的人賞五十金。」有個人抱著試試看的想法把它搬到了北門，果然得到五十兩賞金。商鞅借此表明令出必行。隨後就頒布了新法。

【出處】

令既具，未布，恐民之不信，已乃立三丈之木於國都市南門，募民有能徙置北門者予十金。民怪之，莫敢徙。復曰：「能徙者予五十金。」有一人徙之，輒予五十金，以明不欺。卒下令。（《史記》〈商君列傳〉）

南門立木

亂化之民

新法在民間施行一年，老百姓到國都訴說新法不好的人數以千計。就在這時，太子觸犯了新法。衛鞅說：「法令之所以行不通，是因為上頭有人破壞。」於是他準備依法處置太子。但太子是國君的繼承人，不好施以刑罰，於是就處罰了太傅公子虔，給太子的老師公孫賈臉上刺了字。秦國人從此自覺遵行新法。新法推行十年，秦國百姓非常高興，路上沒人拾取遺失的東西，山林裡也沒有盜賊，家家富裕充足。百姓勇於為國家打仗，不敢為私利爭鬥，鄉村、城鎮社會秩序安定。當初到都城訴說新法不好的百姓又有來說新法好的，衛鞅說：「這都是擾亂教化的人」，於是把他們全部遷往邊境。從此之後，百姓再沒人敢議論新法。

【出處】

令行於民期年，秦民之國都言初令之不便者以千數。於是太子犯法。衛鞅曰：「法之不行，自上犯之。」將法太子。太子，君嗣也，不可施刑，刑其傅公子虔，黥其師公孫賈。明日，秦人皆趨令。行之十年，秦民大說，道不拾遺，山無盜賊，家給人足。民勇於公戰，怯於私鬥，鄉邑大治。秦民初言令不便者有來言令便者，衛鞅曰「此皆亂化之民也」，盡遷之於邊城。其後民莫敢議令。（《史記》〈商君列傳〉）

比之堂上

魏惠王擁有土地千里，甲士三十六萬，倚仗強大的實力，攻取邯鄲，西圍定陽。又邀集十二家諸侯一起朝拜周天子，準備向西攻打秦國。秦孝公為此憂心忡忡，寢食難安，調動全國的軍隊嚴加防守以待來敵。衛鞅向秦孝公獻計說：「魏王有匡扶周室之功，能號令天下，邀集十二國諸侯朝見天子，說明盟國頗多。以區區一個秦國與之對抗，取勝的把握不大。大王不如派臣為使者去拜見魏王，臣有把握挫敗魏國。」秦王答應了他的請求。衛鞅前往魏國拜見惠王，大加稱讚說：「大王勞苦功高，天下都服從您的號令。但如今大王率領的十二家諸侯，不是宋、衛，就是鄒、魯、陳、蔡，大王固然可以隨意驅使它們，然而就憑這點力量還不足以稱王天下。大王不如向北聯合燕國，東伐齊國，那麼趙國必定服從於您；再向西聯合秦國，南伐楚國，韓國就會服從於您。大王有討伐齊、楚的志向，並且行事合於道義，那麼王業就可以實現了。大王不如採行天子的服飾，然後圖謀齊、楚。」惠王聽了十分高興，便仿行天子的體制，大建宮室，製作丹衣和九斿、七星之旗。對惠王的越禮不軌，齊、楚兩國君主大為激憤，各路諸侯也都改投到齊國的旗幟之下。之後齊人伐魏，殺死魏太子申並殲滅魏國十萬大軍。惠王十分恐慌，急忙下令收兵，向東臣服於齊。諸侯各國這才停止繼續攻打魏國。與此同時，秦孝公則趁機取得了魏國的河西地區，並且對惠王毫無感激之情。衛鞅當初與孝公商議對策的時候，策劃不離開坐席，定計在杯盞之間，設謀於高堂之上，而魏國大將龐涓已為齊國擒獲；戰車未動，西河之外已據為己有。這就是蘇秦所說的「敗敵於廳堂之上，擒敵於帷幄之中，在酒宴上攻克敵城，在枕席上斬斷敵人的兵車」。

【出處】

昔者魏王擁土千里，帶甲三十六萬，其強而拔邯鄲，西圍定陽，又從十二諸侯朝天子以西謀秦。秦王恐之，寢不安席，食不甘味，令於境內，盡堞中為戰具，竟為守備，為死士置將，以待魏氏。衛鞅謀於秦王曰：「夫魏氏其功大而令行於天下，有十二諸侯而朝天子，其與必眾，故以一秦而敵大魏，恐不如。王何不使臣見魏王，則臣請必北魏矣。」秦王許諾。衛鞅見魏王曰：「大王之功大矣，令行於天下矣。今大王之所從十二諸侯，非宋、衛也，則鄒、魯、陳、蔡，此固大王之所以鞭箠使也，不足以王天下。大王不若北取燕，東伐齊，則趙必從矣；西取秦，南伐楚，則韓必從矣。大王有伐齊、楚心，而從天下之志，則王業見矣。大王不如先行王服，然後圖齊、楚。」魏王說於衛鞅之言也，故身廣公宮，製丹衣，柱建旌九斿，從七星之旟，此天子之位也，而魏王處之。於是齊、楚怒，諸侯奔齊，齊人伐魏，殺其太子，覆其十萬之軍。魏王大恐，跣行按兵於國而東次於齊，然後天下乃舍之。當是時，秦王垂拱受西河之外，而不以德魏王。故衛鞅之始與秦王計也，謀約不下席，言於尊俎之間，謀成於堂上，而魏將以禽於齊矣；衝櫓未施，而西河之外入於秦矣。此臣之所謂「比之堂上，禽將戶內，拔城於尊俎之間，折衝席上者也。」（《戰國策》〈齊策五〉）

商鞅伐魏

秦孝公讓公孫鞅率兵攻打魏國，魏國派公子卬率兵抵禦他。公孫鞅在魏國時和公子卬很要好，於是他派人對公子卬說：「我之所以出遊並希望顯貴，都是為了公子您的緣故。現在秦國讓我統兵攻魏，魏國讓公子率兵應對，我怎麼忍心與公子交戰呢？不如雙方向各自的君主報告，請求撤兵好了。」雙方準備撤兵的時候，公孫鞅派人對公子卬說；「一別很難再見，希望能與公子聚一聚。」公子答應了。隨行的魏國軍官勸阻說：「不能答應。」公子卬不聽。公孫鞅趁機設下埋伏，在兩人相聚敘舊的時候，俘虜了公子卬，從而擊敗魏軍，收復河西失地。秦孝公死後，惠王即位，因為這件事而質疑公孫鞅的品行，想加罪於他。公孫鞅帶著家眷逃往魏國，魏國大臣襄疵拒絕接納他們，說：「因為您對公子卬背信棄義，恕無法接待。」

【出處】

公孫鞅之於秦，非父兄也，非有故也，以能用也。欲堙之責，非攻無以。於是為秦將而攻魏。魏使公子卬將而當之。公孫鞅之居魏也，固善公子卬。使人謂公子卬曰：「凡所為游而欲貴者，以公子之故也。今秦令鞅將，魏令公子當之，豈且忍相與戰哉？公子言之公子之主，鞅請亦言之主，而皆罷軍。」於是將歸矣，使人謂公子曰：「歸未有時相見，願與公子坐而相去別也。」公子曰：「諾。」魏吏爭之曰：「不可。」公子不聽，遂相與坐。公孫鞅因伏卒與車騎以取公子卬。秦孝公薨，惠王立，以此疑公孫鞅之行，欲加罪焉。公孫鞅

以其私屬與母歸魏，襄疵不受，曰：「以君之反公子卬也，吾無道知君。」故士自行不可不審也。（《呂氏春秋》〈慎行論・無義〉）

輕罪重罰

商鞅的法令是輕罪重罰。重刑之下，人們就不敢觸犯法令了；而小小過失則是容易改掉的。使人們改掉容易犯的小錯，不去觸犯重刑，這合乎治理國家的原則。既然小錯不犯，大罪也就沒有了。這樣一來，人們就不再犯罪，禍亂也就不會產生了。

【出處】

公孫鞅之法也重輕罪。重罪者，人之所難犯也；而小過者，人之所易去也。使人去其所易，無離其所難，此治之道。夫小過不生，大罪不至，是人無罪而亂不生也。（《韓非子》〈內儲說上七術第三十〉）

車裂商君

秦孝公以商鞅新法治國，富國強兵。新法實行八年之後孝公病重，提出將王位傳給商鞅，商鞅辭謝不受。五個月之後孝公去世，太子繼位，這就是秦惠王。商鞅執法苛刻嚴峻，曾經處罰太子的兩位老師，很擔心惠王打擊報復。公子虔的黨徒趁機告發商君謀反，惠王於是派人抓捕商鞅。商鞅想逃往魏國，到達邊境關口想住旅店，旅店的主人拒絕接待說：「商君有令，住店的人沒有證件店主要連帶判罪。」

商鞅嘆息說：「我這是為自己的法令所害啊。」商鞅終於逃到魏國，但是魏國人恨他欺騙公子卬而打敗魏軍，拒絕收留，並把他送還秦國。最終商鞅在咸陽遭受「車裂」之刑。

【出處】

衛鞅亡魏入秦，孝公以為相，封之於商，號曰商君。商君治秦，法令至行，公平無私，罰不諱強大，賞不私親近，法及太子，黥劓其傅。期年之後，道不拾遺，民不妄取，兵革大強，諸侯畏懼。然刻深寡恩，特以強服之耳。孝公行之八年，疾且不起，欲傳商君，辭不受。（《戰國策》〈秦一〉）

後五月而秦孝公卒，太子立。公子虔之徒告商君欲反，發吏捕商君。商君亡至關下，欲捨客舍。客人不知其是商君也，曰：「商君之法，舍人無驗者坐之。」商君喟然嘆曰：「嗟乎，為法之敝一至此哉！」去之魏。魏人怨其欺公子卬而破魏師，弗受。商君欲之他國。魏人曰：「商君，秦之賊。秦強而賊入魏，弗歸，不可。」遂內秦。商君既復入秦，走商邑，與其徒屬發邑兵北出擊鄭。秦發兵攻商君，殺之於鄭黽池。秦惠王車裂商君以徇，曰：「莫如商鞅反者！」遂滅商君之家。（《史記》〈秦本紀〉）

侏儒間諜

秦國派到楚國的玩偶侏儒得到楚王的喜歡，侏儒暗中結交楚王的左右侍從，碰上楚國有什麼風吹草動，侏儒常常預先知道，於是把消息傳遞給秦惠王。

【出處】

秦侏儒善於荊王，而陰有善荊王左右而內重於惠文君。荊適有謀，侏儒常先聞之以告惠文君。(《韓非子》〈內儲說下六微第三十一〉)

天下雄國

蘇秦採取連橫策略曾經到秦國遊說秦惠王說:「秦國西有巴、蜀、漢中等地的富饒物產，北有來自胡人地區的貴重獸皮與代地良馬，南有巫山、黔中等天然屏障，東有崤山、函谷關等堅固要塞。土地肥沃，民殷國富；戰車萬輛，壯士百萬；沃野千里，資源豐富，積蓄充足；地勢險要，能攻易守。正是天下公認的『天府之國』。憑著天時地利人和，大王完全有把握一統天下。希望大王允許蘇秦陳述自己的方略。」秦惠王說:「寡人聽說，鳥兒羽翼未豐不能高飛，國家法令不完備不能行刑罰，德行不高的君主不可統治萬民，政策教化不順不可以號令大臣。如今先生不遠千里來當面賜教，一定累了，改日再說吧！」秦惠王認為秦國稱霸天下的條件還不成熟，因而連橫的需求也不迫切。蘇秦一連上了十數次奏章，秦王均不為所動。蘇秦只得重返洛陽，懸梁刺股，發憤苦讀，轉攻合縱之術。後來趙王封他為武安君，授以相印，讓他赴各國約定合縱，拆散連橫，以此壓制強秦。

【出處】

蘇秦始將連橫，說秦惠王曰：「大王之國，西有巴、蜀、漢中之利，北有胡貉、代馬之用，南有巫山、黔中之限，東有肴、函之固。田肥美，民殷富，戰車萬乘，奮擊百萬，沃野千里，蓄積饒多，地勢形便，此所謂天府，天下之雄國也。以大王之賢，士民之眾，車騎之用，兵法之教，可以並諸侯，吞天下，稱帝而治。願大王少留意，臣請奏其效。」秦王曰：「寡人聞之，毛羽不豐滿者，不可以高飛；文章不成者，不可以誅罰；道德不厚者，不可以使民；政教不順者，不可以煩大臣。今先生儼然不遠千里而庭教之，願以異日。」說秦王書十上而說不行。黑貂之裘弊，黃金百斤盡，資用乏絕，去秦而歸。羸縢履蹻，負書擔橐，形容枯槁，面目犁黑，狀有歸色。歸至家，妻不下紝，嫂不為炊，父母不與言。蘇秦喟然嘆曰：「妻不以我為夫，嫂不以我為叔，父母不以我為子，是皆秦之罪也。」乃夜發書，陳篋數十，得太公《陰符》之謀，伏而誦之，簡練以為揣摩。讀書欲睡，引錐自刺其股，血流至足。曰：「安有說人主不能出其金玉錦繡，取卿相之尊者乎？」期年，揣摩成，曰：「此真可以說當世之君矣。」於是乃摩燕烏集闕，見說趙王於華屋之下，抵掌而談。趙王大悅，封為武安君。受相印，革車百乘，錦繡千純，白璧百雙，黃金萬溢，以隨其後，約從散橫，以抑強秦。（《戰國策》〈秦一〉）

伐蜀完秦

秦惠王時，蜀國發生內亂，自相攻伐，向秦國告急。秦惠王想出兵蜀國，但覺得道路險峻，軍隊行進困難，又擔心韓國會趁虛而入，於是徵求張儀和司馬錯的意見。張儀主張攻打韓國，說：「蜀國不過是西方的僻遠小國，跟戎狄蠻族沒什麼兩樣，出兵討伐蜀國並不能增強秦國的聲威，占領蜀國的地盤也不能讓秦國得到多少好處。臣聽說應該到朝廷上爭名，到市場上爭利，如今的周王朝，就是天下的朝廷和市場，大王卻捨棄周室而圖謀戎狄之邦，這不符合統一天下的思路啊。」司馬錯反駁說：「不是這樣的。臣下聽說，要想國家富裕必須致力於開疆拓土，要想國家強大必須使百姓富足，要想稱霸為王就必須廣布仁德。如果這三樣都能做到，稱霸為王的時機也就到了。蜀國地處偏遠，內亂頻仍，出兵蜀國就好比豺狼追逐綿羊，而且此舉既能得到蜀國的財富，又可得到平定禍亂的美名。假如攻打韓國進而劫持天子，那就是背負惡名，而且也未必能得到實惠。背負不仁不義的惡名，攻打天下人都不想攻打的對象，哪裡比得上進攻蜀國萬無一失呢。」秦惠王說：「您說得對，就按您說的辦。」於是派兵進攻蜀國。平定後把蜀王的名號降格為侯，派陳叔為相國予以控制。蜀地併入秦國版圖後，秦國日益強大富足。

【出處】

秦惠王時蜀亂，國人相攻擊，告急於秦。秦惠王欲發兵伐蜀，以為道險狹難至，而韓人侵秦。秦惠王欲先伐韓，恐蜀亂；先伐蜀，恐韓襲秦之弊，猶與未決。司馬錯與張儀爭論於秦惠王之前，司馬錯欲伐蜀，張儀曰：「不如伐韓。」王曰：「請聞其說。」對曰：「親魏善楚，下兵三川，塞轘轅、緱氏之口，當屯留之道，魏絕南陽，楚臨南鄭，秦攻新城、宜陽，以臨二周之郊，誅周王之罪，侵楚、魏之地。

周自知不救，九鼎寶器必出。據九鼎，按圖籍，挾天子以令天下，天下莫敢不聽，此王業也，今夫蜀，西僻之國而戎狄之長也，弊兵勞眾不足以成名，得其地不足以為利，臣聞『爭名者於朝，爭利者於市』，今三川、周室，天下之朝市也，而王不爭焉，顧爭於戎狄，去王業遠矣。」司馬錯曰：「不然。臣聞之，欲富者務廣其地，欲強兵者務富其民，欲王者務博其德，三資者備，而王隨之矣。今王地小民貧，故臣願從事於易。夫蜀，西辟之國，而戎狄之長也，有桀、紂之亂，以秦攻之，譬如使豺狼逐群羊也。取其地足以廣國也，得其財足以富民，繕兵不傷眾而彼已服焉。故拔一國而天下不以為暴，利盡西海，諸侯不以為貪。是我一舉而名實兩附，而又有禁暴正亂之名。今攻韓劫天子，劫天子，惡名也，而未必利也，又有不義之名，而攻天下之所不欲，危！臣請謁其故：周，天下之宗室也；齊，韓、周之與國也。周自知失九鼎，韓自知亡三川，則必將二國併力合謀，以因於齊、趙，而求解乎楚、魏。以鼎與楚，以地與魏，王不能禁，此臣所謂『危』也，不如伐蜀完秦。」惠王曰：「善。寡人聽子。」卒起兵伐蜀，十月取之，遂定蜀。蜀王更號為侯，而使陳莊相蜀，蜀既屬，秦益強富厚，輕諸侯，司馬錯之謀也。（《戰國策》〈秦一〉）

慧眼識才

張儀是魏國大夫的庶子，前往秦國遊宦時路過東周。賓客中有人告訴昭文君說：「魏國人張儀很有才幹，準備前往秦國遊宦，您對他應該以禮相待。」昭文君於是親自接見張儀，對他說：「聽說客人要去秦國，我的國家小，不足以容留客人，如果遊說秦國得不到賞識，不妨轉頭回來。我的國家雖小，願與您共同掌管。」張儀跪拜稱謝。臨走之際，昭文君又資助錢財。張儀到秦國之後，得到秦惠王的重用，並讓他做了國相。但張儀始終不忘昭文君的恩德。雖然東周是個小國，張儀對待它的禮遇卻超過大國。他讓秦惠王以昭文君為師。逢澤盟會諸侯時，魏王之所以給昭文君當御者，韓王之所以給昭文君當車右，其中就有秦相張儀的作用。

【出處】

張儀，魏氏餘子也。將西遊於秦，過東周。客有語之於昭文君者，曰：「魏氏人張儀，材士也，將西遊於秦，願君之禮貌之也。」昭文君見而謂之曰：「聞客之秦，寡人之國小，不足以留客。雖游，然豈必遇哉？客或不遇，請為寡人而一歸也。國雖小，請與客共之。」張儀還走，北面再拜。張儀行，昭文君送而資之。至於秦，留有間，惠王說而相之。張儀所德於天下者，無若昭文君。周，千乘也，重過萬乘也。令秦惠王師之。逢澤之會，魏王嘗為御，韓王為右，名號至今不忘。此張儀之力也。（《呂氏春秋》〈慎大覽・報更〉）

閉關絕約

秦國想攻打齊國，顧慮到齊、楚兩國締結了合縱盟約，於是派張儀出使楚國。楚懷王聽說張儀來楚，安排上等的賓館，親自到賓館迎接他說：「楚國地處偏僻，條件鄙陋，您用什麼來指教我呢？」張儀便遊說楚王說：「大王如果真要聽從我的意見，就和齊國斷絕往來，解除盟約，我請秦王獻出商於一帶六百里的土地，讓秦國的女子作為服侍大王的侍妾，秦、楚之間互通婚姻，永遠結為兄弟國家。這樣向東可以削弱齊國，西方的秦國也能得到好處，沒有比這更好的策略了。」懷王非常高興地應允了他。

【出處】

秦欲伐齊，齊楚從親，於是張儀往相楚。楚懷王聞張儀來，虛上舍而自館之。曰：「此僻陋之國，子何以教之？」儀說楚王曰：「大王誠能聽臣，閉關絕約於齊，臣請獻商於之地六百里，使秦女得為大王箕帚之妾，秦楚娶婦嫁女，長為兄弟之國。此北弱齊而西益秦也，計無便此者。」楚王大說而許之。（《史記》〈張儀列傳〉）

被山帶河

張儀對楚懷王說：「秦國地域廣闊，國土面積占天下一半，兵力與四個大國相當，周邊有崇山峻嶺和黃河環繞，國防堅固，宛如銅牆鐵壁。還有士卒超百萬，戰車千輛，戰馬萬匹，糧食堆積如山，法令嚴明，士卒赴湯蹈火，毫無畏懼，國君英明睿智，將帥足智多謀。如果秦國出兵，攻占恆山的險隘就像捲席一樣容易。一旦控制了戰略要地，諸侯中晚來臣服的必然遭滅亡。」

【出處】

張儀為秦破從連橫，說楚王曰：「秦地半天下，兵敵四國，被山帶河，四塞以為固。虎賁之士百餘萬，車千乘，騎萬匹，積粟如丘山。法令既明，士卒安難樂死。主明以嚴，將智以武。雖無出甲，席捲常山之險，必折天下之脊，天下後服者先亡。」（《戰國策》〈楚一〉）

以國事楚

張儀想排擠樗里疾，於是假裝看重他並派他出使楚國，其後又拜託楚懷王為樗里疾在秦國謀求相國的位置。而後對秦惠王說：「我看重樗里疾，派他出使楚國，是要他為秦楚兩國交好出力。現在他身在楚國，楚王卻為他謀求秦國的相位。有人聽見他對楚王說：『大王不是仇恨張儀，想讓他在秦國陷入困境嗎？讓我來幫助您吧。』楚王因此為他在秦國謀求相位。如果大王聽信楚王的建議任用樗里疾為相，他一定會犧牲秦國的利益去侍奉楚王的。」惠王聽後非常生氣，樗里疾在秦國無法立足，只好離開秦國。

【出處】

張儀之殘樗里疾也，重而使之楚。因令楚王為之請相於秦。張子謂秦王曰：「重樗里疾而使之者，將以為國交也。今身在楚，楚王因為請相於秦。臣聞其言曰：『王欲窮儀於秦乎？臣請助王。』楚王以為然，故為請相也。今王誠聽之，彼必以國事楚王。」秦王大怒，樗

里疾出走。(《戰國策》〈秦一〉)

割讓漢中

張儀想拿漢中的土地與楚國進行利益交換，對秦惠王說：「人身上多餘的贅疣應該去掉，樹長在不恰當的地方，別人就會拔除；家裡有不適宜的財物，很可能為主人帶來傷害。漢中的南邊是楚國，他們進入非常便利，但對秦國卻是累贅。」甘茂提出反對意見說：「國土廣袤，憂患自然多些。情況稍有不利，大王就割讓漢中與楚國議和，接下來再有什麼變數，大王再拿什麼去與楚國做交易呢？」

【出處】

張儀欲以漢中與楚，請秦王曰：「有漢中，蠹。種樹不處者，人必害之；家有不宜之財，則傷本。漢中南邊為楚利，此國累也。」甘茂謂王曰：「地大者，固多憂乎！天下有變，王割漢中以為和楚，楚必畔天下而與王。王今以漢中與楚，即天下有變，王何以市楚也？」(《戰國策》〈秦一〉)

忠且見棄

張儀在秦王前面誹謗陳軫說：「陳軫奔走於楚秦之間，但楚國不見得對秦友好，卻和陳軫關係親密。如此看來，陳軫的所作所為都是為他自已，而不是為了秦國。而且陳軫正準備背叛秦國而投奔楚國，希望大王明察。」於是秦王問陳軫說：「聽說你準備投奔楚國，有這回事嗎？」陳軫回答說：「有這回事。」秦王問：「那麼張儀所說的是真的了？」陳軫回答說：「何止張儀知道，就連路人也知道這件事。常言說：『由於孝已孝順他的父母，因而天下父母都希望孝已做自己的兒子；[12]由於伍子胥忠於他的君主，因而天下君主都希望伍子胥做自己的大臣。賣僕妾時如果能賣到本鄉，就說明是好僕妾；被休的婦女如果能在本鄉找到婆家，說明她就是好妻子。』如果我不忠君愛國，楚王又怎麼會要我做他的大臣呢？忠心耿耿尚且被遺棄放逐，我為什麼不能去楚國呢？」秦王說：「賢卿言之有理。」

【出處】

張儀又惡陳軫於秦王。曰：「軫馳楚、秦之間，今楚不加善秦而善軫，然則是軫自為而不為國也。且軫欲去秦而之楚，王何不聽乎？」王謂陳軫曰：「吾聞子欲去秦而之楚，信乎？」陳軫曰：「然。」王曰：「儀之言果信也。」曰：「非獨儀知之也，行道之人皆知之。曰：『孝已愛其親，天下欲以為子；子胥忠乎其君，天下欲以為臣。賣僕妾售乎閭巷者，良僕妾也；出婦嫁於鄉里者，良婦也。』吾不忠於君，楚亦何以軫為忠乎？忠且見棄，吾不之楚，何適乎？」秦王曰：「善。」乃必之也。（《戰國策》〈秦一〉）

12. 孝已，殷高宗之子，著名孝子。

秦攻陘山

秦軍攻打陘地，韓國不敵，於是割讓南陽的土地給秦國。秦國接受土地後繼續攻打陘地。陳軫對秦王說：「韓國形勢不利所以退卻，與秦國邦交不友善所以割讓土地。割讓土地後邦交仍然惡化，韓軍已經退卻秦軍仍然進攻，臣下恐怕山東六國今後不會再以退卻和割讓的舉動來侍奉大王了。[13]況且大王在三川求取百金沒有得到，在韓國求取千金很快就得到了。現在大王繼續攻打韓邑，等於斷絕了重要的邦交並堵塞了自己的財路，臣私下認為大王的做法頗不可取。」

【出處】

秦攻陘山，韓使人馳南陽之地。秦已馳，又攻陘，韓因割南陽之地。秦受地，又攻陘。陳軫謂秦王曰：「國形不便故馳，交不親故割。今割矣而交不親，馳矣而兵不止，臣恐山東之無以馳割事王者矣。且王求百金於三川而不可得，求千金於韓，一旦而具。今王攻韓，是絕上交而固私府也，竊為王弗取也。」（《戰國策》〈韓一〉）

魏兵罷弊

楚國攻打魏國。張儀對秦王說：「不如派兵支援魏國，以增強魏

---

13. 山東作為地區名稱，出現很早，且變化很大。春秋時期，晉國居太行山以西，稱太行山以東為「山東」。戰國時期則是指崤函以東地區。因秦在關中，故稱崤函以東六國（楚、齊、韓、魏、趙、燕）為山東六國，或云關東六國。

國的戰力。如果魏國獲勝，就會重新聽從秦國號令，送來西河之外的土地；假如魏國戰敗，也就無力守住邊塞，大王便可以攻取魏國。」於是秦王採納張儀的建議，以皮氏率領一萬軍卒、戰車一百乘支援魏將孫衍。魏國戰勝楚威王率領的楚軍後疲憊不堪，害怕秦國乘人之危，果然主動把西河之外的土地獻給秦國。

【出處】

楚攻魏。張儀謂秦王曰：「不如與魏以勁之，魏戰勝，復聽於秦，必入西河之外；不勝，魏不能守，王必取之。」王用儀言，取皮氏卒萬人，車百乘。以與魏。犀首戰勝威王，魏兵罷弊，恐畏秦，果獻西河之外。（《戰國策》〈秦一〉）

卞莊子刺虎

惠王對回到秦國的陳軫說：「如今韓國和魏國交戰已有一年，有人對我說讓他們和解有利，有人說不讓他們和解有利。以先生的觀點看，我該怎麼辦呢？」陳軫回答說：「大王聽說過卞莊子刺虎的故事嗎？莊子就要刺殺猛虎的時候，旅館的僮僕勸阻他說：『兩隻虎正在吃牛，待會兒一定會相互爭奪，一爭奪就會打起來，一打起來，大的就會受傷，小的就會死亡。追逐受傷的老虎然後刺殺它，就能獲得刺殺雙虎的名聲。』卞莊於是站在一邊等待。不久，兩隻老虎果然廝打起來，小的被咬死，大的也被咬傷。莊子殺死受傷的老虎，果然獲得殺死雙虎的功績。如今韓魏交戰，已經打了一年，最終的結果就是大國元氣大傷，小國危亡，大王趁機攻打元氣大傷的國家，就會收穫兩個勝利果實。這就如同莊子刺殺猛虎一樣啊。」

【出處】

韓魏相攻，期年不解。秦惠王欲救之，問於左右。左右或曰救之便，或曰勿救便，惠王未能為之決。陳軫適至秦……惠王曰：「善。今韓魏相攻，期年不解，或謂寡人救之便，或曰勿救便，寡人不能決，願子為子主計之餘，為寡人計之。」陳軫對曰：「亦嘗有以夫卞莊子刺虎聞於王者乎？莊子欲刺虎，館豎子止之，曰：『兩虎方且食牛，食甘必爭，爭則必鬥，鬥則大者傷，小者死，從傷而刺之，一舉必有雙虎之名。』卞莊子以為然，立須之。有頃，兩虎果鬥，大者傷，小者死。莊子從傷者而刺之，一舉果有雙虎之功。今韓魏相攻，期年不解，是必大國傷，小國亡，從傷而伐之，一舉必有兩實。此猶莊子刺虎之類也。臣主與王何異也。」惠王曰：「善。」卒弗救。大國果傷，小國亡，秦興兵而伐，大克之。此陳軫之計也。（《史記》〈張儀列傳〉）

美女破舌

田莘替陳軫遊說秦惠王，說：「我擔心大王會像虢國君主那樣。晉獻公要攻打虢國，但是忌憚舟之僑的存在，於是採用荀息的計謀，送美女歌伎迷惑虢君。舟之僑苦諫虢君未得到採納，於是掉頭離去，結果虢國被晉國所滅。後來晉獻公要攻打虞國，又忌憚宮之奇的存在，仍然採用荀息的計謀，派人去中傷宮之奇。宮之奇離開虞國後，虞國也被晉獻公攻取。現在秦國自封為王，能構成威脅的只有楚國。楚國知道橫門君善於用兵，又得知陳軫足智多謀，所以重用張儀出使韓、魏、趙、燕、齊五國。張儀來秦國，必定會中傷橫門君和陳軫。希望大王不要聽信他的讒言。」不久，張儀果真前往秦國，向秦惠王說陳軫的壞話。秦惠王非常生氣，沒有採納。

【出處】

田莘之為陳軫說秦惠王曰：「臣恐王之如郭君。夫晉獻公欲伐郭，而憚舟之僑存，荀息曰：『周書有言，美女破舌。』乃遺之女樂，以亂其政。舟之僑諫而不聽，遂去。因而伐郭，遂破之。又欲伐虞，而憚宮之奇存。荀息曰：『《周書》有言，美男破老。』乃遺之美男，教之惡宮之奇。宮之奇以諫而不聽，遂亡。因而伐虞，遂取之。今秦自以為王，能害王者之國者，楚也。楚智橫君之善用兵，用兵與陳軫之智，故驕張儀以五國。來，必惡是二人。願王勿聽也。」張儀果來辭，因言軫也，王怒而不聽。（《戰國策》〈秦一〉）

請使張儀

秦惠王對寒泉子說：「蘇秦欺人太甚，他企圖憑藉個人的雄辯之術，聯合山東六國君主，以合縱之盟來對抗秦國。趙國原來就自負兵力雄厚，所以首先派蘇秦以重禮聯合諸侯訂立合縱盟約。但是諸侯各懷心思，就像捆綁在一起的雞，不能同時棲息。寡人含恨已久，想派武安君白起赴諸侯各國，對他們表明天下的大勢。」寒泉子說：「這樣安排不妥。如果是攻城掠地，那可以派武安君率軍前往；如果是出使諸侯、為秦國爭取利益，還是派張儀最好！」秦惠王說：「我聽從你的意見。」

【出處】

秦惠王謂寒泉子曰：「蘇秦欺寡人，欲以一人之智，反覆東山之君，從以欺秦。趙固負其眾，故先使蘇秦以幣帛約乎諸侯。諸侯不可一，猶連雞之不能俱止於棲之明矣。寡人忿然，含怒日久。吾欲使武安子起往喻意焉。」寒泉子曰：「不可。夫攻城墮邑，請使武安子。善我國家使諸侯，請使客卿張儀。」秦惠王曰：「受命。」（《戰國策》〈秦一〉）

腹䵍殺子

墨家有個大師腹䵍住在秦國，他的兒子殺了人。秦惠王對腹䵍說：「先生年邁，只有這一個兒子，我已經轉告司法官赦他不死。先生就聽從我的安排吧。」腹䵍回答說：「墨家的法律規定：『殺人者處死，傷人者受刑。』這樣規定為的是杜絕殺傷他人。嚴禁殺傷他人，這是天下的大義。大王雖然對我開恩，腹䵍卻不能踐踏墨家的法律。」腹䵍沒有接受惠王的恩惠，最終處死了自己的兒子。兒子是人們所偏愛的。墨家大師腹䵍忍心殺掉自己心愛的兒子去遵行天下大理，可算是公正無私了。

【出處】

墨者有鉅子腹䵍，居秦，其子殺人，秦惠王曰：「先生之年長矣，非有他子也，寡人已令吏弗誅矣，先生之以此聽寡人也。」腹䵍對曰：「墨者之法曰：『殺人者死，傷人者刑。』此所以禁殺傷人也。夫禁殺傷人者，天下之大義也。王雖為之賜，而令吏弗誅，腹䵍不可不行墨子之法。」不許惠王，而遂殺之。子，人之所私也。忍所私以行大義，鉅子可謂公矣。（《呂氏春秋》〈孟春紀・去私〉）

聽言求善

墨家學派的謝子準備到秦國拜見秦惠王。惠王向秦國墨家學派的唐姑果打聽謝子的情況。唐姑果擔心秦王親近謝子甚過自己，便回答說：「謝子是東方能言善辯的人，為人狡詐，他這次來，一定會竭力遊說太子，以博得太子的歡心。」秦王於是對謝子有了成見，謝子到了秦國，遊說秦王的意見都沒有得到採用。謝子很不高興，於是告辭而去。如果是好的建議，即便博得太子的歡心又有什麼損害？如果是不好的建議，即便沒能博得太子的歡心又有什麼益處？不是通過他的建議好壞而判斷他的才能，只是以為他想博得太子的歡心而認定他悖逆，惠王已經喪失了聽取意見的目的。人上了一定年紀，身體越來越衰退，智慧會越來越長進。惠王已到老年，難道身體和智慧都已衰竭了嗎？

聽言求善

【出處】

東方之墨者謝子，將西見秦惠王。惠王問秦之墨者唐姑果。唐姑果恐王之親謝子賢於己也，對曰：「謝子，東方之辯士也。其為人甚險，將奮於說，以取少主也。」王因藏怒以待之。謝子至，說王，王弗聽。謝子不說，遂辭而行。凡聽言以求善也，所言苟善，雖奮於取少主，何損？所言不善，雖不奮於取少主，何益？不以善為之慤，而徒以取少主為之悖，惠王失所以為聽矣。用志若是，見客雖勞，耳目雖弊，猶不得所謂也。此史定所以得行其邪也，此史定所以得飾鬼以人、罪殺不辜，群臣擾亂，國幾大危也。人之老也，形益衰而智益盛。今惠王之老也，形與智皆衰邪？（《呂氏春秋》〈先識覽・去宥〉）

魏效上洛

楚、魏兩軍在陘山交戰。魏國許諾把上洛的土地送給秦國，以此斷絕秦楚聯合。魏國取勝後，秦國向魏國索要土地，魏國卻不肯兑現承諾。營淺對秦王說：「大王何不對楚王說，魏國曾經答應送給秦國土地，如今取勝卻不肯兑現承諾。楚王不妨與我國會盟一次。如此一來，魏國害怕秦楚聯合，一定會把土地送給秦國。這樣魏國雖然得勝，卻把土地割讓給了秦國。這也相當於楚王把魏國的土地贈予了秦國，秦國也將給予楚國豐厚的回報。魏國實力較弱，若不交出土地，楚國就去進攻他們的南部，我們則從西部發起進攻，魏國就危險了。」秦王於是派人把這番話告訴楚王。於是楚王揚言要與秦國結盟。魏王聽到這件事，立即將上洛送給了秦國。

【出處】

楚、魏戰於陘山。魏許秦以上洛，以絕秦於楚。魏戰勝，楚敗於南陽。秦責賂於魏，魏不與。營淺謂秦王曰：「王何不謂楚王曰，魏許寡人以地，今戰勝，魏王倍寡人也。王何不與寡人遇。魏畏秦、楚之合，必與秦地矣。是魏勝楚而亡地於秦也；是王以魏地德寡人，秦之楚者多資矣。魏弱，若不出地，則王攻其南，寡人絕其西，魏必危。」秦王曰：「善。」以是告楚。楚王揚言與秦遇，魏王聞之恐，效上洛於秦。（《戰國策》〈秦四〉）

失寵自保

秦武王做太子時就不喜歡張儀，繼承王位後，很多大臣在他面前說張儀的壞話，齊國也派人來責備張儀。張儀害怕被殺，趁機對武王說：「我有個不成熟的計策，希望獻給大王。」武王說：「什麼計策？」張儀回答說：「齊王特別憎恨我，只要我在哪個國家，一定會出動軍隊討伐。如果我回到魏國，齊國必然出動軍隊攻打魏國。這時秦國就可以趁魏國和齊國交戰之機攻打韓國，兵臨周都，挾持天子，掌握天下的地圖戶籍，從而成就帝王的功業。」武王認可了張儀的計謀，於是安排三十輛兵車將張儀送往魏國。齊王果然出動軍隊攻打魏國，張儀對魏王說：「大王不要擔憂，我自有計策讓齊國罷兵。」於是派遣門客馮喜到楚國，借用楚國的使臣對齊王說：「大王特別憎恨張儀，眼下的做法卻是讓張儀在秦國有所依託啊。」齊王追問緣由。於是使臣將張儀獻給秦武王的計策和盤托出，齊王聽說後便放棄了攻打魏國的打算。張儀出任魏相一年後，就死在魏國了。

【出處】

武王自為太子時不說張儀，及即位，群臣多讒張儀曰：「無信，左右賣國以取容。秦必復用之，恐為天下笑。」諸侯聞張儀有卻武王，皆畔衡，復合從。秦武王元年，群臣日夜惡張儀未已，而齊讓又至。張儀懼誅，乃因謂秦武王曰：「儀有愚計，願效之。」王曰：「奈何？」對曰：「為秦社稷計者，東方有大變，然後王可以多割得地也。今聞齊王甚憎儀，儀之所在，必興師伐之。故儀願乞其不肖之身之梁，齊必興師而伐梁。梁齊之兵連於城下而不能相去，王以其間伐韓，入三川，出兵函谷而毋伐，以臨周，祭器必出。挾天子，按圖籍，此王業也。」秦王以為然，乃具革車三十乘，入儀之梁。齊果興師伐之。梁哀王恐。張儀曰：「王勿患也，請令罷齊兵。」乃使其舍人馮喜之楚，借使之齊，謂齊王曰：「王甚憎張儀；雖然，亦厚矣王之托儀於秦也！」齊王曰：「寡人憎儀，儀之所在，必興師伐之，何以托儀？」對曰：「是乃王之托儀也。夫儀之出也，固與秦王約曰：『為王計者，東方有大變，然後王可以多割得地。今齊王甚憎儀，儀之所在，必興師伐之。故儀願乞其不肖之身之梁，齊必興師伐之。齊梁之兵連於城下而不能相去，王以其間伐韓，入三川，出兵函谷而無伐，以臨周，祭器必出。挾天子，案圖籍，此王業也。』秦王以為然，故具革車三十乘而入之梁也。今儀入梁，王果伐之，是王內罷國而外伐與國，廣鄰敵以內自臨，而信儀於秦王也。此臣之所謂『托

儀』也。」齊王曰：「善。」乃使解兵。張儀相魏一歲，卒於魏也。（《史記・張儀列傳》）

張儀之仇

秦惠王死後，公孫衍想排擠張儀。李仇對公孫衍說：「你不如把甘茂從魏國召回來，把公孫顯從韓國召回來，在秦國重新起用樗里子。這三個人都是張儀的仇人，你任用他們，諸侯們一定會明白張儀在秦國待不下去了。」

【出處】

秦惠王死，公孫衍欲窮張儀。李仇謂公孫衍曰：「不如召甘茂於魏，召公孫顯於韓，起樗里子於國。三人者，皆張儀之仇也，公用之，則諸侯必見張儀之無秦矣！」（《戰國策》〈秦二〉）

息壤在彼

秦武王派甘茂率兵聯合魏國攻打韓國。甘茂做通魏國的工作後，委託向壽回覆武王，請求放棄攻打韓國。武王到息壤接見甘茂，詢問緣由。甘茂回答說：「宜陽是個大縣，上黨、南陽戰備物資充裕，秦軍遠行千里攻韓，取勝有很大的困難。從前，曾參住在費邑的時候，魯國有個與他同姓同名的人殺了人，有人告訴曾參母親說『曾參殺了人』，他母親正在織布，神情泰然自若。過了一會兒，又有人來告訴他母親說『曾參殺了人』，他母親還是繼續織布神情不變。不一會，又有人進來告訴他母親說『曾參殺了人』，他母親扔下梭子，走下織布機翻牆逃跑了。以曾參的賢德和他母親的信任，尚且在三個人的質疑下動搖了他母親的意志。現在我的賢能比不上曾參，大王對我的信任也不如曾參的母親對曾參的信任，況且懷疑我的人也絕非三個，我擔心大王也會像曾母投梭一樣懷疑我啊。我只是旅居貴國的客人，如果樗里子和公孫奭心裡向著韓國來進諫，他們的意見大王一定採納，這樣一來，大王就欺騙了魏國，而我也要遭到韓國的怨恨。」武王說：「不會的，請讓我跟您盟誓。」於是在息壤訂立盟約，讓甘茂帶兵攻打宜陽。五個月還沒攻下宜陽，樗里子和公孫奭果然在武王面前非議甘茂。武王想召回甘茂，甘茂說：「息壤就在那裡，您可不要忘記。」武王記起當初的盟誓，於是調集全部兵力，讓甘茂加緊進攻，終於拿下宜陽。韓襄王派公仲侈到秦國謝罪，同秦國議和。

【出處】

秦武王三年，謂甘茂曰：「寡人欲車通三川，以窺周室，而寡人死不朽矣。」甘茂曰：「請之魏，約以伐韓，而令向壽輔行。」甘茂至，謂向壽曰：「子歸，言之於王曰『魏聽臣矣，然願王勿伐』。事成，盡以為子功。」向壽歸，以告王，王迎甘茂於息壤。甘茂至，王問其故。對曰：「宜陽，大縣也，上黨、南陽積之久矣。名曰縣，其實郡也。今王倍數險，行千里攻之，難。昔曾參之處費，費人有與曾參同姓名者殺人，人告其母曰『曾參殺人』，其母織自若也。頃之，一人又告之曰『曾參殺人』，其母尚織自若也。頃又一人告之曰『曾參殺人』，其母投杼下機，逾牆而走。夫以曾參之賢與其母信之也，三人疑之，其母懼焉。今臣之賢不若曾參，王之信臣又不如曾參之母信著參也，疑臣者非特三人，臣恐大王之投杼也。始張儀西並巴蜀之地，北取西河之外，南取上庸，天下不以多張子而以賢先王。魏文侯令樂羊將而攻中山，三年而拔之。樂羊返而論功，文侯示之謗書一篋。樂羊再拜稽首曰：『此非臣之功也，主君之力也。』今臣，羈旅之臣也。樗里子、公孫奭二人者挾韓而議之，王必聽之，是王欺魏王而臣受公仲侈之怨也。」王曰：「寡人不聽也，請與子盟。」卒使丞相甘茂將兵伐宜陽。五月而不拔，樗里子、公孫奭果爭之。武王召甘茂，欲罷兵。甘茂曰：「息壤在彼。」王曰：「有之。」因悉起兵，使甘茂擊之。斬首六萬，遂拔宜陽。韓襄王使公仲侈入謝，與秦平。（《史記》〈樗里子甘茂列傳〉）

無伐之日

甘茂率兵攻打宜陽，三次擊鼓進軍而士兵不肯衝鋒。秦國的右將軍尉對說：「您不用兵法指揮作戰，肯定會陷入困境。」甘茂說：「我客居秦國而為秦相，因進軍宜陽而得秦王信任。現在宜陽攻不下來，公孫衍和樗里疾在國內詆毀我，因攻打韓國公仲侈在國外誹謗我，我已經沒有退路。如果明天還不能拿下宜陽，就以宜陽之郊作為我的葬身之地吧。」於是拿出自己的全部錢財作為嘉獎。第二天再次擊鼓進攻，終於攻克宜陽。

【出處】

甘茂攻宜陽，三鼓之而卒不上。秦之右將有尉對曰：「公不論兵，必大困。」甘茂曰：「我羈旅而得相秦者，我以宜陽餌王。今攻宜陽而不拔，公孫衍、樗里疾挫我於內，而公中以韓窮我於外，是無伐之日已！請明日鼓之而不可下，因以宜陽之郭為墓。」於是出私金以益公賞。明日鼓之，宜陽拔。（《戰國策》〈秦二〉）

韓楚相御

宜陽戰役的時候，楚國背叛秦國而與韓國聯合。秦王有些害怕，甘茂說：「楚國雖然與韓國聯合，但絕不會替韓國出兵攻打秦國。韓國也怕攻打秦國的時候，楚國在後面趁機發難。因此韓國和楚國必然互相觀望。楚國雖然聲稱與韓國聯合，卻不會對秦國構成多大威脅。我認為，楚國與韓國之間將會互相牽制，相互制約。」

【出處】

宜陽之役，楚畔秦而合於韓。秦王懼。甘茂曰：「楚雖合韓，不為韓氏先戰；韓亦恐戰而楚有變其後。韓、楚必相御也。楚言與韓，而不餘怨於秦，臣是以知其御也。」（《戰國策》〈秦二〉）

九鼎之功

秦韓宜陽之戰的時候，秦人楊達對公孫顯[14]說：「請讓我率領五萬軍隊為您去攻打西周，攻取了，就可以用得到九鼎的功勞抑制甘茂；反之，天下諸侯憎惡秦國攻打西周這件事，一定會緊急馳援韓國，那麼甘茂攻韓一定會失敗。」

【出處】

宜陽之役，楊達謂公孫顯曰：「請為公以五萬攻西周，得之，是以九鼎抑甘茂也。不然，秦攻西周，天下惡之，其救韓必疾，則茂事敗矣。」（《戰國策》〈韓一〉）

弱者來使

秦王對甘茂說：「楚國派來的使者大都能言善辯，與我爭論問題，多次說得我理屈辭窮，該怎樣應對他們呢？」甘茂回答說：「大王不用發愁。那些能言善辯的人出使秦國，大王不要理睬他們的意見；那些不擅言辭的人來出使，大王就盡量表示尊重。這樣，不擅言辭的人受到重用，能言善辯的人被棄用，大王就可以控制他們了。」

---

31. 公孫顯、公孫衍、公孫奭，公孫郝、公孫赫、犀首，實為一人。

【出處】

秦王謂甘茂曰：「楚客來使者多健，與寡人爭辭，寡人數窮焉，為之奈何？」甘茂對曰：「王勿患也！其健者來使者，則王勿聽其事；其需弱者來使，則王必聽之。然則需弱者用，而健者不用矣！王因而制之。」（《戰國策》〈秦二〉）

得志於魏

張儀想借秦國的兵力去救援魏國。左成對甘茂說：「你不如借兵給他。如果秦軍傷亡重，魏國不能歸還全部秦兵，張儀怕受懲處就不敢返回秦國。如果獲勝，魏國歸還全部秦兵，張儀就會因功在魏國得志。那時，他也會擔憂秦國懷疑他忠於魏國而不敢返回秦國了。張儀身在秦國，對你的地位始終都是威脅。」

【出處】

張儀欲假秦兵以救魏。左成謂甘茂曰：「子不如予之。魏不反秦兵，張子不反秦。魏若反秦兵，張子得志於魏，不敢反於秦矣。張子不去秦，張子必高子。」（《戰國策》〈秦一〉）

犀首之洩

甘茂擔任秦國國相。秦武王喜歡公孫衍（犀首），有意任命他為國相，於是私下裡對公孫衍說：「我將任命你為國相。」甘茂的手下得知這一消息，立即報告甘茂。甘茂於是去見秦武王說：「大王得到了賢能的國相，特來向您表示祝賀。」秦王說：「我把國家託付給你，怎麼又說得了賢相呢？」甘茂回答說：「大王不是準備任命犀首為國相嗎？」秦武王說：「你從哪裡聽到的消息？」甘茂說。「是犀首自己告訴我的。」武王對犀首洩露消息很是惱火，於是派人將他驅逐出境。

【出處】

甘茂相秦。秦王愛公孫衍，與之間有所立，因自謂之曰：「寡人且相子。」甘茂之吏道而聞之，以告甘茂。甘茂因入見王曰：「王得賢相，敢再拜賀。」王曰：「寡人托國於子，焉更得賢相？」對曰：「王且相犀首。」王曰：「子焉聞之？」對曰：「犀首告臣。」王怒於犀首之洩也，乃逐之。（《戰國策》〈秦二〉）

使魏制和

甘茂聯合秦、魏兩國攻打楚國。在秦國擔任國相的楚國人屈蓋，替楚國向秦國講和，於是秦國開啟邊關接受楚國的使者。甘茂對秦王說：「秦國受楚國的利誘而不讓魏國出面主持和議，楚國人一定會對魏國說：『秦國出賣了魏國。』魏國不高興就會和楚國聯合，楚、魏兩國結成聯盟，秦國就會受到傷害。大王不如讓魏國出面主持和議，魏國人感到高興，就不會憎恨大王，大王得到的實惠就更多了。」

【出處】

甘茂約秦、魏而攻楚。楚之相秦者屈蓋，為楚和於秦，秦啟關而聽楚使。甘茂謂秦王曰：「怵於楚而不使魏制和，楚必曰『秦鬻魏』。不悅而合於楚，楚、魏為一，國恐傷矣。王不如使魏制和，魏制和必悅。王不惡於魏，則寄地必多矣。」（《戰國策》〈秦二〉）

各有短長

甘茂出使齊國去遊說齊王，走了幾天，來到一條大河邊。由於無法渡河，甘茂只好求助於船伕。船伕對甘茂說：「這條河只不過是一條小溪而已，您都不能靠自己的本事渡過去，還怎麼能替國君充當說客呢？」甘茂反駁船伕說：「您說的並不對呀。您不瞭解世上的萬事萬物，它們各有各的道理，各有各的規律，各有各的長處，也各有各的短處。比方說，兢兢業業的人忠厚老實，他可以輔佐君王，但卻不能替君王帶兵打仗；千里馬日行千里，為天下騎士所看重，可是把它放在室內捕捉老鼠，那它還不如一隻小貓頂用。寶劍干將，是天下少有的寶物，它鋒利無比削鐵如泥，可是讓木匠拿去砍木頭的話，還比不上一把普通的斧頭。就像你我，要說掄槳划船，在江上行駛，我的確遠遠比不上您；可是若論出使大小國家，遊說各國君主，你就比不上我了。」

【出處】

甘茂使於齊，渡大河。船人曰：「河水間耳，君不能自渡，能為王者之說乎？」甘茂曰：「不然，汝不知也。物各有短長，謹願敦厚，可事主不施用兵；騏驥、騄耳，足及千里，置之宮室，使之捕鼠，曾不如小狸；干將為利，名聞天下，匠以治木，不如斤斧。今持楫而上下隨流，吾不如子；說千乘之君，萬乘之主，子亦不如茂矣。」（《說苑》〈雜言〉）

許楚漢中

宜陽戰事呈膠著狀態時，馮章對秦武王說：「不攻克宜陽，韓、楚兩國就會聯合起來，趁我國疲憊之時進攻我國。大王不如許諾把漢中割讓給楚國，以此博得楚國的歡心。楚國得到好處，心裡高興，自然不會進攻我國，韓國孤立無援，對我們就無可奈何了。」武王說：「很好。」於是派馮章出使楚國，答應把漢中讓給楚國。韓國果然陷入孤立，秦國加緊進攻，終於攻下宜陽。之後聽說楚懷王要來秦國索取漢中，馮章就對秦武王說：「大王請讓我逃離秦國，這樣您就可以對楚王說：我本來就沒答應給楚王土地。」

【出處】

宜陽之役，馮章謂秦王曰：「不拔宜陽，韓、楚乘吾弊，國必危矣！不如許楚漢中以歡之。楚歡而不進，韓必孤，無奈秦何矣！」王曰：「善。」果使馮章許楚漢中，而拔宜陽。楚王以其言責漢中於馮章，馮章謂秦王曰：「王遂亡臣，固謂楚王曰：『寡人固無地而許楚王。』」（《戰國策》〈秦二〉）

行百里者半於九十

有人提醒秦武王說：「臣私下十分疑惑，大王何以輕視齊、楚，視韓國為奴僕？臣聽過這樣的話，勝而不驕是王者作為，主盟而不急躁是霸主胸襟。現在大王很看重和魏、趙兩國的關係，不惜廣施恩德，卻輕視與齊國的交往，這可是驕傲的表現；取得宜陽大捷就疏遠楚國，這是忿恨作祟。驕忿是難以成就霸業的，還請大王三思。《詩經》上說：『做任何事情都有開頭，但很少能善始善終。』過去智伯瑤滅掉范氏、中行氏，又圍攻晉陽滅趙，最終失敗而被韓、趙、魏三家所笑；吳王夫差圍越王句踐於會稽山，在艾陵一役大敗齊國，成為黃池盟會的主持，最後還是被句踐所擒，死於干隧；魏惠王當年盛極一時，伐楚勝齊，屈韓服趙，邀十二家諸侯在孟津朝見天子，後來太子死於馬陵，自已素衣布冠為齊所囚。智伯、夫差、魏惠王當初均建立赫赫戰功，只因不能將謹慎貫徹始終，才招致後來的慘敗。現在秦國霸勢日顯，大王若能兢兢業業，不驕不躁，王霸之業指日而待，否則天下有識之士都會預言大王將步夫差、智伯瑤的後塵。《詩》說：『走一百里路，即使走了九十里還只是走了一半。』因為最後一段的道路是最為艱難的。方今天下之勢，諸侯各國不是聯合起來對付楚國，就是併力對抗秦國。秦人援魏抗楚，楚人援韓抗秦，只因勢均力敵，所以相持不下。而燕、趙、齊三國置身四國之外，就顯得舉足輕重。可以斷言，秦、楚兩國誰先爭取到這三國的支持，誰就能獲得最後的成功。秦國若能爭得三家外援，就能遏制削弱韓國；韓國受到遏制，楚國因孤立無援必然遭到打擊；假如楚國先得到齊國的援助，魏國就會衰敗，秦國就會陷入孤立而受到攻擊。臣據此認為，秦、楚兩國必有一方遭受敗亡，成為天下人的笑柄。」

【出處】

謂秦王曰：「臣竊惑王之輕齊、易楚，而卑畜韓也。臣聞王兵勝而不驕，伯主約而不忿。勝而不驕，故能服世；約而不忿，故能從鄰。今王廣德魏、趙而輕失齊，驕也；戰勝宜陽，不恤楚交，忿也。驕忿非伯主之業也。臣竊為大主慮之而不取也。《詩》云：『靡不有初，鮮克有終。』[15]故先王之所重者，唯始與終。何以知其然？昔智伯瑤殘范、中行，圍逼晉陽，卒為三家笑；吳王夫差棲越於會稽，勝齊於艾陵，為黃池之遇，無禮於宋，遂與句踐禽，死於干隧；梁君伐楚，勝齊，制趙、韓之兵，驅十二諸侯以朝天子於孟津，後子死，身布冠而拘於齊。三者非無功也，能始而不能終也。今王破宜陽，殘三川，而使天下之士不敢言，雍天下之國，徙西周之疆，而世主不敢交；塞陽侯，取黃棘，而韓、楚之兵不敢進。王若能為此尾，則三王不足四，五伯不足六；王若不能為此尾，而有後患，則臣恐諸侯之君，河、濟之士，以王為吳、智之事也。《詩》云：『行百里者，半於九十。』此言末路之難。今大王皆有驕色，以臣之心觀之，天下之事，依世主之心，非楚受兵，必秦也。何以知其然也？秦人援魏以拒楚，楚人援韓以拒秦。四國之兵敵而未能復戰也。齊、宋在繩墨之外以為權，故曰先得齊、宋者伐秦。秦先得齊、宋，則韓氏鑠，韓氏鑠，則楚孤而受兵也。楚先得之，則魏氏鑠，魏氏鑠，則秦孤而受

15. 靡不有初，鮮克有終。出自《詩經》〈大雅・蕩〉。

兵矣。若隨此計而行之，則兩國者必為天下笑矣。」（《戰國策・秦五》）

一舉而亡國

醫生扁鵲去見秦武王，武王向他講述自己的病情，扁鵲建議及早醫治。武王身邊的侍臣提出異議說：「君王的病在耳朵的前面，眼睛的下面，醫治也未必能夠根治，弄不好就會導致耳聾眼瞎啊。」武王把這些話告訴扁鵲，扁鵲聽了非常生氣，把治病的器械扔在地上說：「君王同懂醫術的人商量治病，卻又讓不懂醫術的人干擾治療。就憑這個也能知道大王的治政水平了。這樣下去，大王隨時都有亡國的危險。」[16]

【出處】

醫扁鵲見秦武王，武王示之病，扁鵲請除。左右曰：「君之病在耳之前，目之下，除之未必已也，將使耳不聽，目不明。」君以告扁鵲。扁鵲怒而投其石曰：「君與知之者謀之，而與不知者敗之。使此知秦國之政也，則君一舉而亡國矣。」（《戰國策》〈秦二〉）

16.《史記》〈扁鵲倉公列傳〉：秦太醫令李醯自知技不如扁鵲也，使人刺殺之。至今天下言脈者，由扁鵲也。

舉鼎絕臏

武王孔武有力，喜歡競技鬥力，力士任鄙、烏獲、孟說受寵，都做了大官。武王與孟說舉鼎，折斷肋骨，因內臟出血而死，年僅二十三歲。孟說一族因而遭誅。武王娶魏國女子為后，沒有兒子。立武王的異母弟為君，就是昭襄王。

【出處】

武王有力好戲，力士任鄙、烏獲、孟說皆至大官。王與孟說舉鼎，絕臏。八月，武王死。族孟說。武王取魏女為后，無子。立異母弟，是為昭襄王。(《史記》〈秦本紀〉)

不如為僕

秦武王讓甘茂在主管君主車馬的僕官以及主管傳達君命的行事官中選擇一種。孟卯說：「您不如做僕官。您所擅長的是做使者。即使做了僕官，君主仍然會把使者的職事交給您。您佩帶著僕官的印信，又做著行事官的事，這就兼有兩種官職了。」

【出處】

秦武王令甘茂擇所欲為於僕與行事，孟卯曰：「公不如為僕。公所長者，使也，公雖為僕，王猶使之於公也。公佩僕璽而為行事，是兼官也。」(《韓非子》〈說林上第二十二〉)

秦王大怒

韓國相國公仲侈因為宜陽之戰而仇視甘茂。後來秦國把武遂歸還給了韓國。秦王懷疑甘茂想用歸還武遂來消解公仲侈的怨恨。這時杜赫趁機對秦王說：「公仲希望通過甘茂來侍奉大王。」秦王因此對甘茂十分惱怒。樗里疾與甘茂有矛盾，因而對杜赫十分讚賞。

【出處】

公仲以宜陽之故，仇甘茂。其後，秦歸武遂於韓，已而，秦王固疑甘茂之以武遂解於公仲也。杜赫為公仲謂秦王曰：「明也願因茂以事王。」秦王大怒於甘茂，故樗里疾大說杜赫。（《戰國策》〈韓一〉）

江上處女

昭襄王繼位後，甘茂被迫出逃，來到齊國。出函谷關之後，甘茂遇見蘇代，對他說：「您聽說過江上處女的故事嗎？」蘇代說：「沒有。」甘茂說：「江上住著一幫女孩，有個女孩家裡非常貧窮，買不起蠟燭。女孩們在一起商量，想攆走她。買不起蠟燭的女孩說：『我因為沒有蠟燭，所以常常先到，到了之後便收拾房間，打掃清潔。你們何必吝惜映照四壁的那點餘光？賜一點餘光給我，對你們有什麼妨礙？我自認為對你們還有點用處，為什麼一定要趕走我呢？』女孩們商量以後，認為她說得對，就把她留下來了。在下不才，被秦國驅逐出關。我願意像那窮女孩一樣為您收拾房間，打掃清潔，希望不要將我攆走。」蘇代說：「好吧，我會設法讓齊王重用您。」蘇代西入關中，遊說秦王說：「甘茂很有才幹，在秦國一直受到重用。他對秦國的地形地貌，從崤山直至溪谷瞭如指掌。萬一他憑藉齊國，聯合韓、魏來圖謀秦國，秦國將非常不利啊。」秦王說：「那怎麼辦呢？」蘇代說：「您不如多備厚禮，許以高位重金聘他回國，再把他軟禁在槐谷直至終老，這樣諸侯就無以憑藉了。」秦王於是承諾授以上卿的高位，讓使者拿著相印到齊國迎接甘茂。甘茂推辭不行。蘇代於是返回齊國，替他對齊王說：「甘茂是個賢能的人，秦王給他上卿的高位，拿著相印想迎接他回國高就。但甘茂感激齊王的恩德不肯離去，他很願意做大王的臣子。以甘茂的才能，如果讓他統帥強秦的軍隊，齊國就很難圖謀秦國了。」齊王於是也賜甘茂為上卿，讓他留在齊國。

【出處】

甘茂亡秦且之齊，出關遇蘇子，曰：「君聞夫江上之處女乎？」蘇子曰：「不聞。」曰：「夫江上之處女，有家貧而無燭者，處女相與語，欲去之。家貧無燭者將去矣，謂處女曰：『妾以無燭，故常先至，掃室布席，何愛余明之照四壁者？幸以賜妾，何妨於處女？妾自以有益於處女，何為去我？』處女相語以為然而留之。今臣不肖，棄逐於秦而出關，願為足下掃室布席，幸無我逐也。」蘇子曰：「善。請重公於齊。」乃西說秦王曰：「甘茂，賢人，非恆士也。其居秦累世重矣，自殽塞、谿谷，地形險易盡知之。彼若以齊約韓、魏，反以謀秦，是非秦之利也。」秦王曰：「然則奈何？」蘇代曰：「不如重其贄、厚其祿以迎之。彼來則置之槐谷，終身勿出，天下何從圖秦。」秦王曰：「善。」與之上卿，以相迎之齊。甘茂辭不往。蘇秦為謂王曰：「甘茂，賢人也。今秦與之上卿，以相迎之，茂德王之賜，故不往，願為王臣。今王何以禮之？王若不留，必不德王。彼以甘茂之賢，得擅用強秦之眾，則難圖也！」齊王曰：「善。」賜之上卿，命而處之。（《戰國策》〈秦二〉）

仰首不朝

楚懷王因為怨恨從前秦國在丹陽攻打楚國時韓國坐視不救，於是帶兵圍攻韓國雍氏。韓王派公仲侈到秦國告急求援。昭襄王剛剛即位，楚國又是宣太后羋八子的娘家，因此不肯出兵。公仲侈就去拜託甘茂，於是甘茂向昭王進言說：「韓國人以為可以得到秦國的救援才敢抵抗楚國。眼下雍氏被圍，秦軍若不肯出崤山相救，公仲侈將會輕蔑秦國而不再來朝見，也會撮合韓國與楚國結盟，楚國和韓國一旦聯合，魏國就不敢不聽從他們的擺布，這樣一來，攻打秦國的形勢就形成了。大王覺得，坐等別人來進攻和主動進攻別人，哪樣更為有利呢？」昭王說：「我明白了。」於是答應公仲侈的要求，派軍隊下崤山解救韓國。

【出處】

楚懷王怨前秦敗楚於丹陽而韓不救，乃以兵圍韓雍氏。韓使公仲侈告急於秦。秦昭王新立，太后楚人，不肯救。公仲因甘茂，茂為韓言於秦昭王曰：「公仲方有得秦救，故敢扞楚也。今雍氏圍，秦師不下殽，公仲且仰首而不朝，公叔且以國南合於楚。楚、韓為一，魏氏不敢不聽，然則伐秦之形成矣。不識坐而待伐孰與伐人之利。」秦王曰：「善。」乃下師於殽以救韓。楚兵去。（《史記》〈樗里子甘茂列傳〉）

妾事先王

楚國攻打韓國，韓國派使者向秦國求救。宣太后因為楚國是她的祖國，態度不怎麼積極。韓國又派能言善辯的尚靳前往秦國，向宣太后陳述唇亡齒寒的道理。宣太后說：「韓國的使者來了不少，只有尚靳的話說得對。」於是召見尚靳。宣太后對尚靳說：「我侍奉先王的時候，先王把大腿壓在我身上，我受不了；但把身子全壓在我身上，我不以為重，為什麼呢？因為感到舒服、愉快，對我有好處。現在援救韓國，如果兵力不足，糧食不多，就不足以解救韓國。解韓國之圍每天要耗費千金，就不能給我一點好處嗎？」[17]

【出處】

楚圍雍氏五月。韓令使者求救於秦，冠蓋相望也，秦師不下殽。韓又令尚靳使秦，謂秦王曰：「韓之於秦也，居為隱蔽，出為雁行。今韓已病矣，秦師不下殽。臣聞之，唇揭者其齒寒，願大王之熟計之。」宣太后曰：「使者來者眾矣，獨尚子之言是。」召尚子入。宣

---

17. 宣太后在歷史上以風流不羈、直言不諱著稱。在外交場合拿夫妻間的性愛說事，這是一般的男君也難啟齒的。王士禎《池北偶談》卷二十一〈談異二〉評價此事說：「此等淫褻語，出於婦人之口，入於使者之耳，載於國史之筆，皆大奇。」

太后謂尚子曰：「妾事先王也，先王以其髀加妾之身，妾困不疲也；盡置其身妾之上，而妾弗重也，何也？以其少有利焉。今佐韓，兵不眾，糧不多，則不足以救韓。夫救韓之危，日費千金，獨不可使妾少有利焉。」（《戰國策》〈韓二〉）

義渠戎王

宣太后年輕守寡，出於各種原因，她曾籠絡義渠王長達三十多年，與其私通並生有二子。後秦國日益強大，宣太后認為義渠王已失去價值。秦昭襄王三十五年，宣太后引誘義渠王入秦，將其殺死於甘泉宮。秦國趁機發兵攻滅義渠，在義渠故地設立隴西、北地、上郡三郡。

【出處】

秦昭王時，義渠戎王與宣太后亂，有二子。宣太后詐而殺義渠戎王於甘泉，遂起兵伐殘義渠。於是秦有隴西、北地、上郡，築長城以拒胡。（《史記》〈匈奴列傳〉）

智則樗里

秦昭襄王七年，樗里子病死，埋葬在渭水南岸的章臺之東。臨終前，樗里子預言說：「一百年之後，我墓葬兩邊將會建築起天子的宮殿。」樗里子的家在昭王廟西、渭水之南的陰鄉樗里，因此人們稱他為樗里子。至漢朝建立後，果然長樂宮建在他墳墓東邊，未央宮則建在他墳墓西邊，兵器庫則正對著他的墳墓，一如樗里子之前的預言。秦國人有句諺語說：「論力氣要算任鄙，講智謀則是樗里。」

【出處】

昭王七年，樗里子卒，葬於渭南章臺之東。曰：「後百歲，是當有天子之宮夾我墓。」樗里子疾室在於昭王廟西渭南陰鄉樗里，故俗謂之樗里子。至漢興，長樂宮在其東，未央宮在其西，武庫正直其墓。秦人諺曰：「力則任鄙，智則樗里。」（《史記》〈樗里子甘茂列傳〉）

除害莫如盡

秦國客卿造極力慫恿秦相穰侯魏冉攻打齊國，對他說：「自從秦王以陶邑封您，至今您在秦國執掌大權已有好些年頭。如果能攻下齊國，您的封地陶邑就將有萬乘大國的規模，這樣您就會成為小國之長，諸侯無不俯首聽命，這是春秋五霸的功業啊！反之，如果不出兵攻打齊國，鄰國必然對陶邑虎視眈眈，從此永無寧日。所以進攻齊國與否是陶邑存亡的關鍵。如果你想辦成這件事，何不派人對燕相國說：『聖人不能創造時機，時機到了也不會放棄。舜雖然賢能，如果他沒有遇上堯，也不可能成為天子。商湯王、周武王雖然賢能，如果沒有碰上桀、紂就不能成就王業。如今攻打齊國，正是你的大好時機，依靠天下的力量，雪惠王失敗之恥，完成昭王破齊的功勞，除掉國家萬年的禍害，這是燕國的永久利益，你也可以得到偉大的名聲。《尚書》上說：做好事愈多愈好，除禍害愈徹底愈好。吳國沒有趁勢滅掉越國，其後反而被越國所滅；齊國沒有滅掉燕國，後來被燕國所滅。這都是因為除惡未盡啊。您如果不趁此時機完成您的功業，除掉您的禍害，一旦秦國發生變故，後悔就來不及了。如果您動員燕國的兵力，號令消滅齊國，諸侯也會像報父子之仇一般，爭先恐後地響應您的行動。如果滅掉齊國，黃河以南大片土地都會成為您的封地。不要再猶豫了，趕快攻打齊國吧。』」

【出處】

秦客卿造謂穰侯曰：「秦封君以陶，藉君天下數年矣。攻齊之事成，陶為萬乘，長小國，率以朝天子，天下必聽，五伯之事也；攻齊不成，陶為鄰恤而莫之據也。故攻齊之於陶也，存亡之機也。君欲成之，何不使人謂燕相國曰：『聖人不能為時，時至而弗失。舜雖賢，不遇堯也，不得為天子；湯、武雖賢，不當桀、紂不王。故以舜、湯、武之賢，不遭時不得帝王。令攻齊，此君之大時也已。因天下之力，伐讎國之齊，報惠王之恥，成昭王之功，除萬世之害，此燕之長利而君之大名也。《書》云：樹德莫如滋，除害莫如盡。吳不亡越，越故亡吳；齊不亡燕，燕故亡齊。齊亡於燕，吳亡於越，此除疾不盡也。非以此時也，成君之功，除君之害，秦卒有他事而從齊，齊、趙合，其仇君必深矣。挾君之仇以誅於燕，後雖悔之，不可得也已。君悉燕兵而疾攻之，天下之從君也，若報父子之仇。誠能亡齊，封君於河南，為萬乘，達途於中國，南與陶為鄰，世世無患。願君之專志於攻齊，而無他慮也。』」（《戰國策》〈秦三〉）

拔楚之郢

秦昭襄王十四年，穰侯魏冉舉薦白起為將軍，代替向壽領兵攻打韓國和魏國。白起在伊闕大勝韓、魏二國，俘虜魏將公孫喜，斬敵二十四萬。次年，又奪取楚國宛、葉二地。隨後，白起攻占楚國郢都，置南郡以代之。白起以戰功卓著被封武安君。

【出處】

昭王十四年，魏冉舉白起，使代向壽將而攻韓、魏，敗之伊闕，斬首二十四萬，虜魏將公孫喜。明年，又取楚之宛、葉。魏冉謝病免相，以客卿壽燭為相。其明年，燭免，復相冉，乃封魏冉於穰，復益封陶，號曰穰侯。穰侯封四歲，為秦將攻魏。魏獻河東方四百里。拔魏之河內，取城大小六十餘。昭王十九年，秦稱西帝，齊稱東帝。月餘，呂禮來，而齊、秦各復歸帝為王。魏冉復相秦，六歲而免。免二歲，復相秦。四歲，而使白起拔楚之郢，秦置南郡。乃封白起為武安君。（《史記》〈穰侯列傳〉）

與天神博於此

秦昭王命令工匠用鉤梯登上華山，用松柏的樹心做成一盤棋子，長形的骰子長八尺，棋子長八寸，並在上面刻字說：「昭王曾與天神在這裡下過棋。」

拔楚之郢

【出處】

秦昭王令工施鉤梯而上華山，以松柏之心為博，箭長八尺，棋長八寸，而勒之曰：「昭王嘗與天神博於此矣。」（《韓非子》〈外儲說左上第三十二〉）

范雎奔秦

秦昭襄王派王稽出使魏國。鄭安平扮成差役伺候王稽。王稽問他說：「魏國有沒有優秀人才願意隨我一同西行呢？」鄭安平回答說：「我有位同鄉張祿先生，想拜見您談談天下大事。不過他有仇人，不敢白天出來。」王稽說：「夜裡你跟他一起來好了。」鄭安平就在夜裡帶著張祿來拜見王稽。交談沒多久，王稽就發現張祿（范雎）是個賢才，便對他說：「先生請在三亭岡的南邊等我。」范雎與王稽私下約好見面時間就離去了。王稽辭別魏王上路後，經過三亭岡南邊，載上范雎很快進入秦國國境。車到湖邑時，遠遠望見有一隊車馬從西邊過來。范雎問說：「過來的是誰？」王稽回答道：「是秦國國相穰侯，往東邊巡行視察縣邑。」范雎聽說是穰侯魏冉，便說：「我聽說穰侯獨攬秦國大權，最討厭收納各國說客，這樣見面恐怕會侮辱我的，我寧可暫且在車裡躲避。」不一會兒穰侯來到，停車詢問說：「關東局勢有什麼變化嗎？」王稽回答說：「沒什麼變化。」穰侯又說：「使臣先生是否帶說客回來？這種人一無是處，只會擾亂別人的國家罷了。」王稽回答說：「臣下不敢。」穰侯離開後，范雎對王稽說：「我聽說穰侯足智多謀，反應較慢，剛才他懷疑車中有人，卻忘記搜查了。」於是范睢跳下車來單獨而行，並對王稽說：「穰侯不會甘休，必定後悔沒有搜查車子。」大約走了十幾里路，穰侯果然派騎兵返回搜查車子，沒發現有人，這才作罷。王稽於是帶著范睢進入了咸陽。

【出處】

當此時，秦昭王使謁者王稽於魏。鄭安平詐為卒，侍王稽。王稽問：「魏有賢人可與俱西游者乎？」鄭安平曰：「臣裡中有張祿先生，欲見君言天下事。其人有仇，不敢晝見。」王稽曰：「夜與俱來。」鄭安平夜與張祿見王稽。語未究，王稽知范睢賢，謂曰：「先生待我於三亭之南。」與私約而去。王稽辭魏去，過載范睢入秦。至湖，望見車騎從西來。范睢曰：「彼來者為誰？」王稽曰：「秦相穰侯東行縣邑。」范睢曰：「吾聞穰侯專秦權，惡內諸侯客，此恐辱我，我寧且匿車中。」有頃，穰侯果至，勞王稽，因立車而語曰：「關東有何變？」曰：「無有。」又謂王稽曰：「謁君得無與諸侯客子俱來乎？無益，徒亂人國耳。」王稽曰：「不敢。」即別去。范睢曰：「吾聞穰侯智士也，其見事遲，鄉者疑車中有人，忘索之。」於是范睢下車走，曰：「此必悔之。」行十餘里，果使騎還索車中，無客，乃已。王稽遂與范睢入咸陽。（《史記》〈范睢蔡澤列傳〉）

衣新而不舊

張祿登門求見孟嘗君說：「衣服常新不舊，糧倉常滿不空，您知道怎麼做到嗎？」孟嘗君說：「衣服常新不舊，是因為善於修整；糧倉常滿不空，是因為富餘。先生想要說明什麼道理呢？」張祿說：「希望您顯貴時不忘舉薦賢人，富足時不忘賑濟窮人，這樣就能做到衣服常新不舊，糧倉常滿不空。」孟嘗君認為他說得對，欣賞他的寓意，認為頗有辯才，於是第二天派人送給他黃金百斤、彩繪的絲綢百幅。張祿辭謝不受。後來張祿又見到孟嘗君，孟嘗君說：「前次有幸聽到您的教誨，我很讚賞，因此派人略備薄禮相贈，先生為什麼推辭不受呢？」張祿說：「您如果動用府中金錢，打開糧倉來救濟士人，最終難免傾家蕩產，還怎麼能使衣服常新不舊、糧倉常滿不空呢？」孟嘗君問：「那我能為您做點什麼呢？」張祿說：「秦國四周地勢險要，遊學求官的人很難進入。請您為我寫一封簡短的推薦信給秦王。我若受到任用，一定會牢記您的引薦之恩；如果不被接納，說明我與秦王沒有緣分。」孟嘗君說：「就按您說的辦吧。」於是寫信向秦王推薦張祿。張祿前往秦國後受到重用。一次，張祿對秦王說：「自我進入大王境內，看見良田千頃，秩序井然，卻發現大王還有一樁事不那麼稱心如意。」秦王說：「是什麼事呢？」張祿說：「齊國的國相孟嘗君，非常賢能，天下沒有緊急情況也就罷了，一旦有緊急情況，就能邀集天下英雄豪傑。能與天下英豪結為朋友的，也只有他了。大王何不主動與他結為朋友呢？」秦王說：「恭敬地接受您的指教。」於是派人奉送千金給孟嘗君。孟嘗君收到禮金時正在吃飯，他停下來想了想，很快明白怎麼回事了，對左右說：「這就是張生說的衣服常新不舊，糧倉常滿不空啊！」

【出處】

張祿掌門，見孟嘗君曰：「衣新而不舊，倉庾盈而不虛，為之有道，君亦知之乎？」孟嘗君曰：「衣新而不舊，則是修也。倉庾盈而不虛，則是富也。為之奈何？其說可得聞乎？」張祿曰：「願君貴則舉賢，富則振貧，若是則衣新而不舊，倉庾盈而不虛矣。」孟嘗君以其言為然，說其意，辯其辭，明日使人奉黃金百斤，文織百純，進之張先生。先生辭而不受。後先生復見孟嘗君。孟嘗君曰：「前先生幸教文曰：『衣新而不舊，倉庾盈而不虛，為之有說，汝亦知之乎？』文竊說教，故使人奉黃金百斤，文織百純，進之先生，以補門內之不贍者，先生曷為辭而不受乎？」張祿曰：「君將掘君之偶錢，發君之庾粟以補士，則衣弊履穿而不贍耳。何暇衣新而不舊，倉瘐盈而不虛乎？」孟嘗君曰：「然則為之奈何？」張祿曰：「夫秦者四塞之國也。遊宦者不得入焉。願君為吾為丈尺之書，寄我與秦王，我往而遇乎，固君之入也。往而不遇乎，雖人求間謀，固不遇臣矣。」孟嘗君曰：「敬聞命矣。」因為之書，寄之秦王，往而大遇。謂秦王曰：「自祿之來入大王之境，田疇益辟，吏民益治，然而大王有一不得者，大王知之乎？」王曰：「不知。」曰：「夫山東有相，所謂孟嘗君者，其人賢人，天下無急則已，有急則能收天下雄俊之士，與之合交連友者，疑獨此耳。然則大王胡不為我友之乎？」秦王曰：「敬受命。」奉千金以遺孟嘗君，孟嘗君輟食察之而寤曰：「此張生之所謂衣新而不舊，倉庾盈而不虛者也。」（《說苑》〈善說〉）

天下名器

范雎隨王稽到達秦國後，曾經寫信向秦昭襄王自薦。信中有這樣的話：「臣聽說周之砥厄、宋之結綠、魏之懸黎、楚之和璞，這四種名揚天下的寶玉，玉工最初都不能辨別。那麼聖王遺棄的人才當中，就沒有能使國家富強的嗎？臣聽說，善於持家的人才，要在全國範圍內挑選；善於治國的人才，要放眼諸侯各國去尋找。天下有聖明的賢主，諸侯各國便不能獨攬人才。因為人才關係到國家的興衰。良醫能預斷病人的生死，明主能洞察事情的成敗，有利則為，無利則不為，判斷不準則嘗試而行，這是自堯、舜、禹、湯以來未曾改變的法則。至關重要的話，臣不敢寫在這裡；一些膚淺的道理，又不值得一說。臣在想，是否因為臣的愚昧無知，其言語不符合大王的心意？或者是因為推薦臣的人地位低賤，大王以為他們的話不可相信？如果不是這些原因，那麼我的意思是，希望大王能稍微騰出一點遊覽觀光的時間，容我當面進言。」昭襄王讀到范雎的自薦信十分高興，向王稽表示謝意，並當即派車馬召請范雎。

【出處】

范子因王稽入秦，獻書昭王曰：「……臣聞周有砥厄，宋有結綠，梁有懸黎，楚有和璞。此四寶者，工之所失也，而為天下名器。然則聖王之所棄者，獨不足以厚國家乎？臣聞善厚家者，取之於國；善厚國者，取之於諸侯。天下有明主，則諸侯不得擅厚矣。是何故也？為其凋榮也。良醫知病人之死生，聖主明於成敗之事，利則行之，害則舍之，疑則少嘗之，雖堯、舜、禹、湯復生，弗能改已！語之至者，臣不敢載之於書；其淺者又不足聽也。意者，臣愚而不闔於王心耶？已其言臣者，將賤而不足聽耶！非若是也，則臣之志，願少賜遊觀之間，望見足下而入之。」書上，秦王說之，因謝王稽說，使

人持車召之。(《戰國策》〈秦三〉)

感怒昭王

范睢去離宮拜見秦昭襄王的時候，到了宮門口，假裝不知道是內宮的通道而埋頭往裡走。這時恰好秦昭襄王出來。宦官發怒，驅趕范睢說:「大王來了！」范睢故意嚷著說:「秦國哪有大王？只有太后和穰侯而已。」他想用這些話激怒秦昭襄王。昭王走過來，聽到范睢與宦官爭吵，便上前迎接范睢，向他道歉說:「我早該向您請教，正好遇到義渠的緊急事件，早晚都要向太后問安。現在義渠事件處理完畢，終於有機會向您請教。我這個人糊塗愚蠢，先向您致敬。」范睢客氣地還禮。這一天，凡是看到范睢拜見昭王的文武百官，沒有一個不肅然起敬的。

【出處】

於是范睢乃得見於離宮，詳為不知永巷而入其中。王來，而宦者怒逐之，曰:「王至！」范睢繆為曰:「秦安得王？秦獨有太后、穰侯耳。」欲以感怒昭王。昭王至，聞其與宦者爭言，遂延迎，謝曰:「寡人宜以身受命久矣，會義渠之事急，寡人旦暮自請太后；今義渠之事已，寡人乃得受命。竊閔然不敏，敬執賓主之禮。」范睢辭讓。是日觀范睢之見者，群臣莫不灑然變色易容者。(《史記》〈范睢蔡澤列傳〉)

遠交近攻

范睢對秦昭襄王說：「穰侯想越過韓、魏兩國進攻齊國的綱、壽兩城，這絕對不是個好計策。齊湣王曾經向南攻打楚國，想開闢千里之遙的領土，最後連寸尺大小的土地也沒得到。各諸侯國看到齊國遠行疲憊，國力衰弱，國君與臣屬不和，便趁機發兵攻齊。結果齊國大敗，將士受辱，上下一片責怪之聲。齊王推說攻打楚國是田文策劃的，於是齊國大臣發動叛亂，追殺田文，田文被迫逃走。齊國大敗的原因，在於它耗費兵力攻打遠方的楚國，使韓、魏兩國從中獲利。這就叫把兵器借給強盜，把糧食送給竊賊。臣以為，大王不如結交遠邦而攻伐近國，這樣攻取一寸就能得到一寸土地，攻取一尺就能得到一尺土地。如今放棄近國而攻打遠邦，不也太荒謬了嗎？過去中山國有方圓五百里的領土，趙國獨自將其吞併，天下沒有誰能奈何趙國。現在韓、魏兩國地處中原，是天下的中心部位，大王如果想稱霸天下，就必須先經營中原，把它作為掌握天下的關鍵，以此威脅楚國和趙國。楚國強大您就親近趙國，趙國強大您就親近楚國，楚國、趙國都親附您，齊國必然恐懼。齊國恐懼，就會低聲下氣奉獻厚禮來事奉秦國。齊國親附秦國，秦國便可以趁勢收服韓、魏兩國了。」

【出處】

然左右多竊聽者，范睢恐，未敢言內，先言外事，以觀秦王之俯仰。因進曰：「夫穰侯越韓、魏而攻齊綱壽，非計也。少出師則不足以傷齊，多出師則害於秦。臣意王之計，欲少出師而悉韓、魏之兵也，則不義矣。今見與國之不親也，越人之國而攻，可乎？其於計疏矣。且昔齊湣王南攻楚，破軍殺將，再闢地千里，而齊尺寸之地無得焉者，豈不欲得地哉，形勢不能有也。諸侯見齊之罷弊，君臣之不和也，興兵而伐齊，大破之。士辱兵頓，皆咎其王，曰：『誰為此計者乎？』王曰：『文子為之。』大臣作亂，文子出走。攻齊所以大破者，以其伐楚而肥韓、魏也。此所謂借賊兵而齎盜糧者也。王不如遠交而近攻，得寸則王之寸也，得尺亦王之尺也。今釋此而遠攻，不亦繆乎！且昔者中山之國地方五百里，趙獨吞之，功成名立而利附焉，天下莫之能害也。今夫韓、魏，中國之處而天下之樞也，王其欲霸，必親中國以為天下樞，以威楚、趙。楚強則附趙，趙強則附楚，楚、趙皆附，齊必懼矣。齊懼，必卑辭重幣以事秦。齊附而韓、魏因可虜也。」昭王曰：「吾欲親魏久矣，而魏多變之國也，寡人不能親。請問親魏奈何？」對曰：「王卑詞重幣以事之；不可，則割地而賂之；不可，因舉兵而伐之。」王曰：「寡人敬聞命矣。」乃拜范睢為客卿，謀兵事。（《史記》〈范睢蔡澤列傳〉）

范睢為相

范睢得到秦昭襄王的信任之後，趁機向昭襄王進言說：「我住在山東時，只聽說齊國有田文而不曾聽說有齊王；只聽說秦國有太后、穰侯、華陽君、高陵君、涇陽君，而從未聽說有秦王。國王必須大權獨攬，興利除害，生殺予奪。如今太后獨斷專行毫無顧忌，穰侯出使國外而不報告，華陽君、涇陽君等斷罪判罰無所忌諱，高陵君任免官吏也不請示。國家出現這四種權貴而沒有危險是不可能的。《木實繁》詩說:『城邑太大就會危害國都,臣子權重就會壓抑君主。』[18]從前崔杼、淖齒在齊國專權,崔杼射殺了齊莊公,淖齒吊死了齊湣王。李兌在趙國專權,將趙武靈王活活餓死在沙丘宮中。今天秦國的太后、穰侯、高陵君、華陽君和涇陽君,很可能就是昨天的淖齒和李兌啊。夏、商、周三代之所以亡國,就是因為君主恣意遊樂,不理朝政,任由寵臣們妒賢嫉能,瞞上欺下,謀取私利,因而斷送了國家的前程。如今秦國的各級官吏,包括大王的左右侍從,沒有一個不是相國穰侯的親信。看到大王在朝廷孤身一人,我真替您害怕,擔心您百年之後,擁有秦國的不會是您的子孫。」昭王聽了范睢一番話,如夢初醒,大為驚恐說:「你說得對。」於是收回了太后的特權,將穰侯、高陵君、華陽君、涇陽君一併驅逐到關外。又任命范睢為相國,讓穰侯交出相印,回封地陶邑養老。穰侯離開國都時,裝載個人財產的車子有一千多輛。在國都關卡,例行檢查的官吏發現車上裝載的珍寶器物比王室還多。

【出處】

范睢日益親,復說用數年矣,因請間說曰:「臣居山東時,聞齊之有田文,不聞其有王也;聞秦之有太后、穰侯、華陽、高陵、涇陽,不聞其有王也。夫擅國之謂王,能利害之謂王,制殺生之威之謂

18.《木實繁》或為「古語」。宋人鮑彪《戰國策校注》以為「逸詩」。元吳師道:「恐此四語皆詩,非必逸詩,古有此語爾。」清人范家相《三家詩拾遺》:「疑皆古語而稱曰詩,故勿錄。」明人馮惟訥《古詩紀》卷九:「注云非必逸詩,古有此語耳。」

王。今太后擅行不顧，穰侯出使不報，華陽、涇陽等擊斷無諱，高陵進退不請。四貴備而國不危者，未之有也。為此四貴者下，乃所謂無王也。然則權安得不傾，令安得從王出乎？臣聞善治國者，乃內固其威而外重其權。穰侯使者操王之重，決制於諸侯，剖符於天下，政適伐國，莫敢不聽。戰勝攻取則利歸於陶，國弊御於諸侯；戰敗則結怨於百姓，而禍歸於社稷。詩曰：『木實繁者披其枝，披其枝者傷其心；大其都者危其國，尊其臣者卑其主。』崔杼、淖齒管齊，射王股，擢王筋，縣之於廟梁，宿昔而死。李兌管趙，囚主父於沙丘，百日而餓死。今秦太后、穰侯用事，高陵、華陽、涇陽佐之，卒無秦王，此亦淖齒、李兌之類也。且夫三代所以亡國者，君專授政，縱酒馳騁弋獵，不聽政事。其所授者，妒賢嫉能，御下蔽上，以成其私，不為主計，而主不覺悟，故失其國。今自有秩以上至諸大吏，及王左右，無非相國之人者。見王獨立於朝，臣竊為王恐，萬世之後，有秦國者非王子孫也。」昭王聞之大懼，曰：「善。」於是廢太后，逐穰侯、高陵、華陽、涇陽君於關外。秦王乃拜范睢為相。收穰侯之印，使歸陶，因使縣官給車牛以徙，千乘有餘。到關，關閱其寶器，寶器珍怪多於王室。（《史記》〈范睢蔡澤列傳〉）

臣強者危其主

應侯對秦昭王說：「您聽說過恆思叢林中神祠的故事嗎？恆思有個凶頑的少年，要求與祠主打賭說：『如果我勝了你，你就把神位借給我三天；如果輸了，任由你處置。』於是他用左手替祠主擲骰子，右手為自己投骰子，結果他贏了，祠主只好把叢祠的神位借給他。三天之後，祠主派人去取，少年竟不知去向。五天之後，樹林開始乾枯。七天之後，叢林裡樹木全都枯死了。如今的秦國就好比大王的叢林；權勢就好比大王的神位。把這些東西借給別人，實在是太危險。我從來沒聽說過手指比胳膊粗、胳膊比大腿粗的。出現這種情況，就一定是病得太重了。一百個人馱著瓢跑步，還不如一個人拿著瓢走得快。一百個人托瓢，瓢非摔破不可。現在的秦國，華陽君掌政，穰侯掌政，太后掌政，大王也掌政。不把國家比作瓢也就罷了；把國家比作盛水的瓢，國家遲早會四分五裂。我聽說古代善於治理國家的君主，對內牢牢掌控威權，親信遍布全國，政治穩定，使臣循規辦事，不敢為非做歹。如今太后的使臣分列諸侯各國，虎符流布天下，利用大國的權勢強徵兵士，討伐諸侯，繳獲的財物全部運往陶邑，搜刮的錢財都送到太后的私室，境內的資產，從各處運往華陽。古人所謂危主滅國的徵兆，就是這樣體現的。太后、穰侯和華陽君攝取國家財富中飽私囊，長久下去，國家的政令還怎麼從大王發出，權力何談集中？大王實際已處在三貴包圍一王的境地了。」

【出處】

應侯謂昭王曰：「亦聞恆思有神叢與？恆思有悍少年，請與叢博，曰：『吾勝叢，叢籍我神三日；不勝叢，叢困我。』乃左手為叢投，右手自為投，勝叢，叢籍其神。三日，叢往求之，遂弗歸。五日而叢枯，七日而叢亡。今國者，王之叢；勢者，王之神。籍人以此，得無危乎？臣未嘗聞指大於臂，臂大於股，若有此，則病必甚矣。百人輿瓢而趨，不如一人持而走疾。百人誠輿瓢，瓢必裂。今秦國，華陽用之，穰侯用之，太后用之，王亦用之。不稱瓢為器，則已；已稱瓢為器，國必裂矣。臣聞之也：『木實繁者枝必披，枝之披者傷其心。都大者危其國，臣強者危其主。』其令邑中自斗食以上，至尉、內史及王左右，有非相國之人者乎？國無事，則已；國有事，臣必聞見王獨立於庭也。臣竊為王恐，恐萬世之後有國者，非王子孫也。臣聞古之善為政也，其威內扶，其輔外布，四治政不亂不逆，使者直道而行，不敢為非。今太后使者分裂諸侯，而符布天下，操大國之勢，強徵兵，伐諸侯。戰勝攻取，利盡歸於陶；國之幣帛，竭入太后之家；竟內之利，分移華陽。古之所謂『危主滅國之道』必從此起。三貴竭國以自安，然則令何得從王出，權何得毋分，是我王果處三分之一也。」（《戰國策》〈秦三〉）

青雲之上

范雎在秦國一直隱瞞身分，自稱張祿，魏國人對此毫無所知，認為范雎早已死了。魏王聽說秦國即將派兵攻打韓、魏兩國，便派須賈出使秦國緊急斡旋。范雎得知須賈到達秦國，便隱瞞身分喬裝出行，到須賈下榻的賓館找他。須賈見到范雎非常驚愕：「范叔原來沒事啊！」范雎說：「是啊。」須賈笑著說：「范叔是來秦國遊說的吧？」范雎回答說：「不是的。我因為得罪了魏國宰相，所以流落逃跑到這裡，哪裡還敢遊說呢？」須賈問他說：「現在你在做什麼呢？」范雎回答說：「給人當差役。」須賈聽了頗為同情，便留他一起坐下吃飯，嘆息說：「范叔竟貧寒到這個樣子！」於是取來一件粗絲袍衣送給他。須賈問他說：「秦國的相國張君，你知道他嗎？聽說他在秦王那裡非常受寵，朝中大事都由他來決斷。我這次來辦的事情成敗也取決於他。你有沒有跟相國熟悉的朋友呢？」范雎說：「我的主人很熟悉他。我因此也能見到他，就讓我將您引見給張君吧。」須賈說：「我的馬病了，車軸也斷了，不是四匹馬拉的大車，我是絕不出門的。」范雎說：「我去向主人借來四匹馬拉的大車。」范雎回去弄來四匹馬拉的大車，親自給須賈駕車，一直進到秦國相府。相府裡的人看見范雎駕車進來，都迴避讓開。須賈對此感到奇怪。到了相國辦公地方的門口，范雎對須賈說：「等等我，我先替您進去向相國張君通報一聲。」須賈就在門口等候。拽著韁繩等了很長時間不見人來，便問門卒說：「范叔進去很長時間了還不出來，怎麼回事？」門卒說：「這裡沒有范叔。」須賈說：「就是剛才跟我一起乘車進去的那個人。」門卒說：「他就是我們的相國張君啊。」須賈一聽大驚失色，自知被誆騙進來，趕緊脫掉上衣光著膀子，用膝蓋跪行托門卒向范雎請罪。於是范雎大開府門，召來所有的侍從，令須賈上堂來見。須賈連連磕頭，口稱死罪說：「我沒想到您憑自己的能力飛黃騰達，從此我不敢再求讀書長進，也不敢再妄議天下大事。我犯下了應該煮殺的大罪，把我拋到荒涼野蠻的胡貉地區也心甘情願，是死是活任憑您來決定！」范雎說：「你有幾條罪狀？」須賈回答說：「全拔下我的頭髮也不夠數我的罪過。」范雎說：「你有三條罪狀。一是認為我暗通齊國對魏國不忠，而在魏齊面前說我的壞話；二是在魏齊把我扔進廁所肆意侮辱時你不加制止；三是你喝醉之後竟往我身上撒尿，你於心何忍啊！今天之所以饒你不死，是因為從你贈我粗絲袍衣看出你多少還有點人性。」范雎進宮向昭襄王匯報了事情的來龍去脈，請求不接受魏國來使，責令須賈回國。須賈去向范睢辭行的時候，范睢大擺宴席，宴請各國使臣，與使臣們同坐堂上，酒菜飯食極為豐盛。然後讓須賈坐在堂下，在他面前放了一盤馬料，讓兩名受過墨刑的犯人夾著他，像馬吃草一樣讓他吃莖豆。范睢喝斥他說：「回去轉告魏王，速將魏齊的人頭送來。否則，我將率兵屠戮大梁。」須賈回到魏國，把范睢在秦國為相的消息告訴魏齊。魏齊大為驚恐，急忙逃往趙國，躲藏在平原君家裡。

【出處】

范睢既相秦，秦號曰張祿，而魏不知，以為范睢已死久矣。魏聞秦且東伐韓、魏，魏使須賈於秦。范睢聞之，為微行，敝衣間步之邸，見須賈。須賈見之而驚曰：「范叔固無恙乎！」范睢曰：「然。」須賈笑曰：「范叔有說於秦邪？」曰：「不也。睢前日得過於魏相，故亡逃至此，安敢說乎？」須賈曰：「今叔何事？」范睢曰：「臣為人庸賃。」須賈意哀之，留與坐飲食，曰：「范叔一寒如此哉！」乃取其一綈袍以賜之。須賈因問曰：「秦相張君，公知之乎？吾聞幸於王，天下之事皆決於相君。今吾事之去留在張君。孺子豈有客習於相君者哉？」范睢曰：「主人翁習知之。唯睢亦得謁，睢請為見君於張君。」須賈曰：「吾馬病，車軸折，非大車駟馬，吾固不出。」范睢曰：「願為君借大車駟馬於主人翁。」范睢歸取大車駟馬，為須賈御之，入秦相府。府中望見，有識者皆避匿。須賈怪之。至相舍門，謂須賈曰：「待我，我為君先入通於相君。」須賈待門下，持車良久，問門下曰：「范叔不出，何也？」門下曰：「無范叔。」須賈曰：「鄉者與我載而入者。」門下曰：「乃吾相張君也。」須賈大驚，自知見賈，乃肉袒膝行，因門下人謝罪。於是范睢盛帷帳，侍者甚眾，見之。須賈頓首言死罪，曰：「賈不意君能自至於青雲之上，賈不敢復讀天下之書，不敢復與天下之事。賈有湯鑊之罪，請自屏於胡貉之地，唯君死生之！」范睢曰：「汝罪有幾？」曰：「擢賈之髮以續賈之罪，尚未足。」范睢曰：「汝罪有三耳。昔者楚昭王時而申包胥為楚卻吳軍，楚王封之以荊五千戶，包胥辭不受，為丘墓之寄於荊也。今睢之先人丘墓亦在魏，公前以睢為有外心於齊而惡睢於魏齊，公之罪一也。當魏齊辱我於廁中，公不止，罪二也。更醉而溺我，公其何忍乎？罪三矣。然公之所以得無死者，以綈袍戀戀，有故人之意，故釋公。」乃謝罷。入言之昭王，罷歸須賈。須賈辭於范睢，范睢大供具，盡請諸侯使與坐堂上，食飲甚設；而坐須賈於堂下，置莝豆其前，令兩黥徒夾而馬食之。數曰：「為我告魏王，急持魏齊頭來，不然者，我且屠大梁。」須賈歸，以告魏齊。魏齊恐，亡走趙。匿平原君所。（《史記》〈范睢蔡澤列傳〉）

貴而為交

秦昭襄王得知范睢在魏國的遭遇後，想替范睢主持公道，於是寫信給平原君趙勝，邀請他到秦國小住，開懷暢飲幾天。平原君本來就畏懼秦國，又見來信言辭懇切，有真心交好之意，於是來到秦國。昭王陪著平原君宴飲，對他說：「從前周文王得到呂尚尊為太公，齊桓公得到管夷吾尊為仲父，如今范先生也是我的叔父啊。范先生的仇人住在您的家裡，希望您派人把他腦袋取來；不然的話，我就不讓您出函谷關。」平原君說：「顯貴了仍然交低賤的朋友，是不忘低賤時的友誼；發富了仍然交貧困的朋友，是為了不忘貧困時的情義。魏齊是我朋友，即使他在我家，我也決不會交出來，何況他也不在我家裡。」昭王見平原君不肯就範，又給趙孝成王寫信說：「大王的弟弟現在秦國，而范先生的仇人魏齊在平原君家裡。大王趕快派人把他的腦袋送來；不然，我將出兵攻打趙國，同時不讓大王的弟弟出關。」趙孝成王於是派兵包圍平原君的宅子，危急中魏齊連夜逃出平原君家，去求見趙國宰相虞卿。虞卿估計很難說服趙王，於是解下相印，與魏齊一起逃出趙國。兩人抄小路奔逃，考慮到周邊並沒有可以投靠的國家，於是又奔回大梁，打算通過信陵君的關係投奔楚國。信陵君得知消息後，因為害怕秦國追究，猶豫不肯接見，問身邊人說：「虞卿這個人怎樣？」當時侯嬴在側，就回答說：「人固然很難被人瞭解，瞭解一個人也很困難。虞卿當年腳穿草鞋，頭戴斗笠，身穿布衣來到趙國。第一次見到趙王，趙王就賜給他白璧一對，黃金百鎰；第二次見到趙王，就被任為上卿；第三次見到趙王，就得到相印，封萬戶侯。那時候，天下人都爭著結識虞卿。魏齊走投無路時投奔虞卿，虞卿根本不把高官厚祿看在眼裡，解下相印，拋棄萬戶侯的爵位就跟魏齊逃走。為了他人的困境心急如焚來投奔您，您還問『這個人怎樣』。人固然很難被瞭解，瞭解人也真是不容易啊！」信陵君非常慚愧，當即驅車到郊外迎接二人。魏齊得知信陵君猶豫不肯相見，一怒之下自刎而死。趙王得到消息，立即派人將魏齊的腦袋送往秦國。秦昭襄王於是讓平原君返回趙國。

【出處】

秦昭王聞魏齊在平原君所，欲為范雎必報其仇，乃詳為好書遺平原君曰：「寡人聞君之高義，願與君為布衣之友，君幸過寡人，寡人願與君為十日之飲。」平原君畏秦，且以為然，而入秦見昭王。昭王與平原君飲數日，昭王謂平原君曰：「昔周文王得呂尚以為太公，齊桓公得管夷吾以為仲父，今范君亦寡人之叔父也。范君之仇在君之家，願使人歸取其頭來；不然，吾不出君於關。」平原君曰：「貴而為交者，為賤也；富而為交者，為貧也。夫魏齊者，勝之友也，在，固不出也，今又不在臣所。」昭王乃遺趙王書曰：「王之弟在秦，范君之仇魏齊在平原君之家。王使人疾持其頭來；不然，吾舉兵而伐趙，又不出王之弟於關。」趙孝成王乃發卒圍平原君家，急，魏齊夜亡出，見趙相虞卿。虞卿度趙王終不可說，乃解其相印，與魏齊亡，間行，念諸侯莫可以急抵者，乃復走大梁，欲因信陵君以走楚。信陵君聞之，畏秦，猶豫未肯見，曰：「虞卿何如人也？」時侯嬴在旁，曰：「人固未易知，知人亦未易也。夫虞卿躡屩簷簦，一見趙王，賜白璧一雙，黃金百鎰；再見，拜為上卿；三見，卒受相印，封萬戶侯。當此之時，天下爭知之。夫魏齊窮困過虞卿，虞卿不敢重爵祿之尊，解相印，捐萬戶侯而間行。急士之窮而歸公子，公子曰『何如人』。人固不易知，知人亦未易也！」信陵君大慚，駕如野迎之。魏齊聞信陵君之初難見之，怒而自剄。趙王聞之，卒取其頭予秦。秦昭王乃出平原君歸趙。（《史記》〈范雎蔡澤列傳〉）

必於其盡

范睢說：「弓折斷的時候，一定是在製作的最後階段，而不是開始階段。工匠張弓時，把弓放在校正器具上按壓三十天，然後才裝上弦，卻在一天之內就把箭發射出去。開始調節的時候緩慢，最後使用時急促，弓怎麼能不折斷呢？不妨按我的思路：用校正工具按壓一天，而後裝上弦，上弦三十天後再發射。開始的時候粗略，最後階段精緻，弓一定不會折斷。」工匠無言以對，照范睢的話去做，結果弓折斷了。

【出處】

范睢曰：「弓之折，必於其盡也，不於其始也。夫工人張弓也，伏檠三旬而蹈弦，一日犯機，是節之其始而暴之其盡也，焉得無折？且張弓不然：伏檠一日而蹈弦，三旬而犯機，是暴之其始而節之其盡也。」工人窮也，為之，弓折。（《韓非子》〈外儲說左上第三十二〉）

獨攻其地

秦國進攻韓國，包圍了陘地。范睢對秦昭王說：「攻戰有兩種，一是攻取人心，二是攻占土地。穰侯進攻魏國十次卻不能挫敗他們，並不是因為秦國弱小魏國強大，而是因為穰侯著眼於攻占土地。土地是君主喜歡的東西，而臣子又樂意為君主效命。攻取人主喜愛的東西，與樂意為人主效命的人戰鬥，所以十次征討都不能取勝。現在大王圍攻陘地，希望不要只著眼於攻占土地，而是著眼於攻取人心。大王可以與張儀談判。張儀聰明的話，他就會割讓土地向大王謝罪，通過割讓土地而使韓國不至亡國；如果張儀缺乏頭腦，大王可以驅逐張儀，再與不如張儀的人談條件。這樣，大王想在韓國謀求的利益，就可以全部到手。」[19]

【出處】

秦攻韓，圍陘。范雎謂秦昭王曰：「有攻人者，有攻地者。穰侯十攻魏而不得傷者，非秦弱而魏強也，其所攻者，地也。地者，人主所甚愛也。人主者，人臣之所樂為死也。攻人主之所愛，與樂死者斗，故十攻而弗能勝也。今王將攻韓圍陘，臣願王之毋獨攻其地，而攻其人也。王攻韓圍陘，以張儀為言。張儀之力多，且削地而以自贖於王，幾割地而韓不盡；張儀之力少，則王逐張儀，而更與不如張儀者市。則王之所以求於韓者，言可得也。」（《戰國策》〈秦三〉）

遂絕愛道

某次秦昭王生病，百姓為他祈禱；病好後，百姓殺牛向神還願。侍從官閻遏、公孫衍出門看見了，說：「現在不是祭土地神和臘祭的時候，為什麼要殺牛祭祀呢？」他們感到奇怪，就問百姓。百姓說；「國君生病，我們為他祈禱；現在他病好了，我們殺牛向神還願。」

---

19. 據《史記》〈秦本紀〉記載，張儀死於秦武王二年，即西元前三〇九年，秦國進攻韓國的陘地發生在西元前二六四年，此時張儀已經死了四十五年。

閻遏、公孫衍很高興，晉見昭王拜賀道：「您勝過堯、舜了。」昭王吃驚地說：「此話怎講？」二人回答說：「堯和舜，還沒到讓百姓為他們祈禱的地步。現在大王生病，百姓用牛許願；大王病癒，百姓殺牛還願。所以我們私下認為大王是勝過堯和舜了。」於是昭王派人查問，看是哪個里這樣幹的，要罰該裡的里正和伍老各出兩副甲。閻遏、公孫衍慚愧得不敢吭聲。過了幾個月，昭王飲酒正痛快時，閻遏、公孫衍對昭王說：「前段時間我們私下以為大王勝過堯和舜，並非故意討好。堯和舜生病，百姓還不至於為他們祈禱；但是大王生病，百姓就用牛許願，大王病癒，百姓殺牛還願。現在竟然罰那個里的里正和伍老各出兩副甲，我們私下深感奇怪。」昭王說：「你們為什麼不懂這些？那些百姓為我所用，並不是因為我愛他們，而是因為我有權勢。如果我放棄權勢和他們交往，他們馬上就會是另外的態度，這與仁愛無關。」

【出處】

秦襄王病，百姓為之禱，病癒，殺牛塞禱。郎中閻遏、公孫衍出見之，曰：「非社臘之時也，奚自殺牛而祠社？」怪而問之。百姓曰：「人主病，為之禱；今病癒，殺牛塞禱。」閻遏、公孫衍說，見王拜賀曰：「過堯、舜矣。」王驚曰：「何謂也？」對曰：「堯、舜其民未至為之禱也，今王病而民以牛禱，病癒殺牛塞禱，故臣竊以王為過堯、舜也。」王因使人問之，何里為之，訾其里正與伍老屯二甲。閻遏、公孫衍愧不敢言。居數月，王飲酒酣樂，閻遏、公孫衍謂王曰：「前時臣竊以王為過堯、舜，非直敢諛也。堯、舜病且其民未至為之禱也。今王病而民以牛禱，病癒殺牛塞禱，今乃訾其里正與伍老屯二甲，臣竊怪之。」王曰：「子何故不知於此？彼民之所以為我用者，非以吾愛之為我用者也，以吾勢之為我用者也。吾釋勢與民相收，若是，吾適不愛而民因不為我用也。故遂絕愛道也。」（《韓非子》〈外儲說右下第三十五〉）

宵行狗吠

段產對新城君說：「夜行人能不做奸邪的事情，卻不能讓狗不衝自己吠叫。現在我處在郎中的位置，能夠做到不在大王面前非議您，卻不能保證讓別人不在您面前誹謗我。希望您能明察。」

【出處】

段產謂新城君曰：「夫宵行者能無為奸，而不能令狗無吠己。今臣處郎中，能無議君於王，而不能令人毋議臣於君。願君察之也。」（《戰國策》〈韓三〉）

纆牽於事

段干越人對新城君說：「王良的弟子駕車，說是要日行千里。在路上遇見造父的弟子。造父的弟子說：『你的馬不能日行千里。』王良的弟子說：『我的驂馬是千里之馬，服馬也是千里之馬，卻說我不能日行千里，為什麼呢？』造父的弟子說：『你的韁繩拉得太長了。』韁繩的長短對於駕馭來說，雖然作用不過萬分之一，卻妨礙千里之行。我雖然不才，但對秦國的作用多少也有那麼萬分之一吧，您見到我卻不高興，這也是韁繩拉得太長的緣故吧。」

【出處】

段干越人謂新城君曰：「王良之弟子駕，云取千里，遇造父之弟子。造父之弟子曰：『馬不千里。』王良弟子曰：『馬，千里之馬也；服，千里之服也。而不能取千里，何也？』曰：『子纆牽長。』故纆牽於事，萬分之一也，而難行千里之行。今臣雖不肖，於秦亦萬分之一也，而相國見臣不釋塞者，是纆牽長也。」（《戰國策》〈韓三〉）

大相與鬥

天下的策士都聚集在趙國，商量六國合縱攻打秦國的事。秦相應侯對秦王說：「大王不必憂心，臣很快就會讓他們的盟約土崩瓦解。天下的策士對秦國並無怨仇，他們聚在一起謀劃攻秦，只不過是為了陞官發財而已。大王看看大王的狗，現在躺著的躺著，站著的站著，走著的走著，停著的停著，彼此之間沒有任何爭鬥。但是只要扔出一根骨頭，所有的狗立刻會齜牙咧嘴，相互撕咬。為什麼？因為相互有爭奪。」於是范睢派秦臣唐睢用車載著樂隊，攜帶五十鎰黃金，在趙國武安大擺宴席，對參加聚會的策士們說：「邯鄲人誰來拿黃金呢？」結果首謀攻秦的人沒得到黃金，得到黃金的策士跟秦國就像兄弟一樣親密了。應侯又告訴唐睢說：「您這是在為秦國立功，不必考慮哪些人得到黃金，只要把黃金送出去就算大功告成，現在再運五十鎰金過去。」唐睢出發剛到達武安，才送出不到三千金，參加合縱討論的策士們就互相爭奪起來。

【出處】

天下之士，合從相聚於趙，而欲攻秦。秦相應侯曰：「王勿憂也，請令廢之。秦於天下之士非有怨也，相聚而攻秦者，以己欲富貴耳。王見大王之狗，臥者臥，起者起，行者行，止者止，毋相與鬥者；投之一骨，輕起相牙者，何則？有爭意也。」於是唐睢載音樂，予之五十金，居武安，高會相與飲，謂：「邯鄲人誰來取者？」於是其謀者固未可得予也，其可得與者，與之昆弟矣。「公與秦計功者，不問金之所之，金盡者功多矣。今令人復載五十金隨公。」唐睢行，行至武安，散不能三千金，天下之士，大相與鬥矣。（《戰國策》〈秦三〉）

子死不憂

應侯失去了韓地汝南。秦昭王問應侯說：「賢卿喪失了封地，心裡難過嗎？」范睢回答說：「臣不難過。」昭王說：「為什麼？」范睢說：「梁國有個叫東門吳的人，他的兒子死了，卻並不顯得傷心，管家問他：『主人疼愛兒子，可以說天下少見，現在兒子死了，為什麼不難過呢？』東門吳回答說：『我當初本沒有兒子，沒兒子的時候也不難過；現在兒子死了，等於回到沒兒子的時候，有什麼好難過的呢？』臣當初不過一介小民，當平民的時候並不憂愁，如今失去封地，等於恢復平民身分，又有什麼好難過的呢？」昭王相信范雎的說辭，對蒙傲說：「如果有一個城池被圍，寡人就會寢食難安，如今范雎丟失了自己的封土，卻說自己並不難過，這不合情理。」蒙傲說：「我來打聽一下真實情況。」蒙傲於是拜會范雎，說：「我真想去死。」范雎問：「什麼意思？」蒙傲回答說：「君王拜閣下為師，全天下的人都知道。如今我蒙傲僥倖成為秦國將軍，眼看弱小的韓國竟敢違拗秦國奪走閣下的封土，我蒙傲還有什麼臉活在世上？還不如死了好！」范雎於是拜謝蒙傲說：「我願意把奪回汝南的事託付給您！」於是蒙傲把范雎的話回報昭王。從此之後，每當范雎談論韓國的事情，秦昭王就不想再聽，認為范雎是在為奪回汝南而謀劃。

【出處】

應侯失韓之汝南。秦昭王謂應侯曰：「君亡國，其憂乎？」應侯曰：「臣不憂。」王曰：「何也？」曰：「梁人有東門吳者，其子死而不憂，其相室曰：『公之愛子也，天下無有，今子死不憂，何也？』東門吳曰：『吾嘗無子，無子之時不憂；今子死，乃即與無子時同也。臣奚憂焉？』臣亦嘗為子，為子時不憂；今亡汝南，乃與即為梁餘子同也。臣何為憂？」秦王以為不然，以告蒙傲曰：「今也，寡人一城圍，食不甘味，臥不便席，今應侯亡地而言不憂，此其情也？」蒙傲曰：「臣請得其情。」蒙傲乃往見應侯，曰：「傲欲死。」應侯曰：「何謂也？」曰：「秦王師君，天下莫不聞，而況於秦國乎？今傲勢得秦為王將，將兵，臣以韓之細也，顯逆誅，奪君地，傲尚奚生？不若死。」應侯拜蒙傲曰：「願委之卿。」蒙傲以報於昭王。自是之後，應侯每言韓事者，秦王弗聽也，以其為汝南虜也。（《戰國策》〈秦三〉）

長平之戰

秦昭襄王四十七年，秦國派左庶長王齕進攻韓國，奪取上黨。上黨的百姓紛紛逃往趙國。趙國在長平屯兵，據以接應上黨百姓。四月，王齕借此進攻趙國。趙國派廉頗統率軍隊抵抗。秦軍屢次挑戰，趙兵堅守不出。趙王多次指責廉頗不與秦軍交戰。此時秦國丞相應侯花費千金到趙國施行反間之計，宣揚說：「秦國最害怕的，是讓馬服君趙奢的兒子趙括擔任將領，廉頗容易對付，他就要投降了。」趙王本來就惱怒廉頗軍隊傷亡過多，屢次戰敗，卻又堅守營壘不出，加之聽到許多謠言，信以為真，於是派趙括取代廉頗。秦國得知消息，暗地裡派武安君白起擔任上將軍，讓王齕擔任尉官副將，並下令軍隊中洩密者格殺勿論。趙括到任後，一反廉頗的固守策略，主動發兵進擊秦軍。秦軍假裝戰敗而逃，同時布置兩支突襲部隊逼進趙軍。趙軍趁勝追擊，直追到秦軍營壘。但秦軍營壘十分堅固，不能攻入，此時秦軍的一支突襲部隊已經切斷趙軍後路，另一支部隊則楔入趙軍營壘，把趙軍分割成兩個孤立的部分，並堵住其運糧通道。趙軍交戰失利，於是構築壁壘，頑強固守，等待援兵到來。秦王得知趙國運糧通道被截斷，親自到河內封賞給百姓爵位各一級，徵調十五歲以上的青壯年集中到長平戰場，以攔截趙國的救兵，斷絕他們的糧道。到了九月，趙國士兵斷絕口糧已達四十六天，軍內士兵暗中殺人充飢。困厄已極的趙軍撲向秦軍營壘，打算突圍而逃。趙括親自率領精銳士兵與秦軍交戰。秦軍射死趙括，大敗趙軍，趙軍士兵四十萬人向武安君投降。武安君算計說：「前時秦軍拿下上黨，上黨百姓不甘心做秦國的臣民而歸附趙國。趙國士兵變化無常，如不全部殺死，恐怕要出亂子。」於是以欺騙手段將趙國降兵全部活埋，只留下年紀尚小的士兵二百四十人放回趙國。此戰秦軍斬首擒殺趙國士卒四十五萬人，趙國舉國震驚。

【出處】

四十七年，秦使左庶長王齕攻韓，取上黨。上黨民走趙。趙軍長平，以按據上黨民。四月，齕因攻趙。趙使廉頗將。趙軍士卒犯秦斥兵，秦斥兵斬趙裨將茄。六月，陷趙軍，取二鄣四尉。七月，趙軍築壘壁而守之。秦又攻其壘，取二尉，敗其陣，奪西壘壁。廉頗堅壁以待秦，秦數挑戰，趙兵不出。趙王數以為讓。而秦相應侯又使人行千金於趙為反間，曰：「秦之所惡，獨畏馬服子趙括將耳，廉頗易與，且降矣。」趙王既怒廉頗軍多失亡，軍數敗，又反堅壁不敢戰，而又聞秦反間之言，因使趙括代廉頗將以擊秦。秦聞馬服子將，乃陰使武安君白起為上將軍，而王齕為尉裨將，令軍中有敢泄武安君將者斬。趙括至，則出兵擊秦軍。秦軍詳敗而走，張二奇兵以劫之。趙軍逐勝，追造秦壁。壁堅拒不得入，而秦奇兵二萬五千人絕趙軍後，又一軍五千騎絕趙壁間，趙軍分而為二，糧道絕。而秦出輕兵擊之。趙戰不利，因築壁堅守，以待救至。秦王聞趙食道絕，王自之河內，賜民爵各一級，發年十五以上悉詣長平，遮絕趙救及糧食。至九月，趙卒不得食四十六日，皆內陰相殺食。來攻秦壘，欲出。為四隊，四五復之，不能出。其將軍趙括出銳卒自搏戰，秦軍射殺趙括。括軍敗，卒四十萬人降武安君。武安君計曰：「前秦已拔上黨，上黨民不樂為秦而歸趙。趙卒反覆。非盡殺之，恐為亂。」乃挾詐而盡坑殺之，遺其小者二百四十人歸趙。前後斬首虜四十五萬人。趙人大震。（《史記》〈白起王翦列傳〉）

必為三公

秦昭襄王四十八年十月，秦軍再次平定上黨郡。隨後，秦軍兵分兩路：王齕攻下皮牢，司馬梗平定太原。韓、趙兩國十分害怕，派蘇代攜帶厚禮到秦國遊說丞相應侯說：「武安君擒殺趙括了嗎？」應侯回答說：「是。」蘇代又問：「就要圍攻邯鄲嗎？」應侯回答說：「是的。」於是蘇代說：「趙國滅亡，秦王就要君臨天下了。武安君為秦國攻占的城邑有七十多座，南邊平定了楚國的鄢、郢及漢中地區，北邊俘獲了趙括的四十萬大軍，歷史上赫赫有名的周公、召公和呂望的功勞也不過如此。如果趙國滅亡，秦王君臨天下，武安君一定會位居三公，您能屈居他之下嗎？秦軍上次進攻韓國之後，上黨的百姓都轉歸趙國，天下百姓不甘做秦國臣民的日子已經很久了。如果滅掉趙國，它北邊的土地將落入燕國，東邊的土地將併入齊國，南邊的土地將歸入韓魏二國，那麼秦國得到的百姓能有多少呢？還不如趁韓國、趙國驚恐之際讓它們割讓土地，不要再增加武安君的功勛了。」應侯於是向秦王進言說：「秦國士兵太勞累了，請您准許韓國和趙國割地講和，暫且讓士兵們休整一下。」秦王聽從了應侯的意見，允許韓國割讓垣雍、趙國獻出六座城邑來講和。正月，雙方停止交戰。武安君得知停戰消息，從此與應侯交惡。

【出處】

四十八年十月，秦復定上黨郡。秦分軍為二：王齕攻皮牢，拔之；司馬梗定太原。韓、趙恐，使蘇代厚幣說秦相應侯曰：「武安君禽馬服子乎？」曰：「然。」又曰：「即圍邯鄲乎？」曰：「然。」「趙亡則秦王王矣，武安君為三公。武安君所為秦戰勝攻取者七十餘城，南定鄢、郢、漢中，北禽趙括之軍，雖周、召、呂望之功不益於此矣。今趙亡，秦王王，則武安君必為三公，君能為之下乎？雖無慾為之下，固不得已矣。秦嘗攻韓，圍邢丘，困上黨，上黨之民皆反為趙，天下不樂為秦民之日久矣。今亡趙，北地入燕，東地入齊，南地入韓、魏，則君之所得民亡幾何人。故不如因而割之，無以為武安君功也。」於是應侯言於秦王曰：「秦兵勞，請許韓、趙之割地以和，且休士卒。」王聽之，割韓垣雍、趙六城以和。正月，皆罷兵。武安君聞之，由是與應侯有隙。（《史記》〈白起王翦列傳〉）

足以活民

秦國遭遇嚴重的飢荒，應侯請求說：「五苑的草著、蔬菜、棟樹果、棗子、栗子，足以養活百姓，請您把它們分發給民眾吧。」秦昭王說：「秦國的法令，是百姓有功受賞，有罪受罰。現在開放五苑的蔬菜瓜果，就是不論有功無功都讓老百姓得到賞賜。那樣一來，國家就會陷入混亂。開放五苑而使國家陷入混亂，不如扔掉這些瓜果蔬菜而使國家太平。」[20]

【出處】

秦大飢，應侯請曰：「五苑之草著、蔬菜、橡果、棗栗，足以活民，請發之。」昭襄王曰：「吾秦法，使民有功而受賞，有罪而受誅。今發五苑之蔬草者，使民有功與無功俱賞也。夫使民有功與無功俱賞者，此亂之道也。夫發五苑而亂，不如棄棗蔬而治。」（《韓非子》〈外儲說右下第三十五〉）

周人懷璞

應侯說：「鄭國人把沒有經過加工的玉稱為璞，周人把沒有晾乾的老鼠肉叫作朴。有個周人懷裡揣著沒有晾乾的老鼠肉，從鄭國商人的門前經過，問他說：『要不要買朴？』鄭國商人回答說：『想買。』周人拿出朴來。鄭國商人一看，原來是沒有晾乾的老鼠肉，於是辭謝不買。如今平原君的賢名揚於天下，卻將主父趙武靈王送往沙丘貶為臣民，各國君王還照樣尊敬他，說明君王們還不如鄭國商人聰明，被平原君的名聲所惑，而不瞭解他的本質。」

---

20. 另一種說法：今發五苑之蓏、蔬、棗、栗，足以活民，是用民有功與無功爭取也。夫生亂，不如死而治，大夫其釋之。參見《韓非子》〈外儲說右下第三十五〉。

足以活民

【出處】

應侯曰：「鄭人謂玉未理者璞，周人謂鼠未臘者朴。周人懷璞過鄭賈曰：『欲買朴乎？』鄭賈曰：『欲之。』出其朴，視之，乃鼠也，因謝不取。今平原君自以賢顯名於天下，然降其主父沙丘而臣之，天下之王尚猶尊之，是天下之王不如鄭賈之智也，眩於名，不知其實也。」（《戰國策》〈秦三〉）

無危乃悔

韓、魏、齊三國軍隊集結到了韓國，秦王對樓緩說：「三國軍隊就要深入我國了！我想割讓河東之地與他們講和，怎麼樣？」樓緩回答說：「割讓河東，是大代價；免除國家禍患，是大功勞。這是宗族老臣的責任，大王為什麼不召見公子汜來徵詢意見呢？」秦王召見公子汜並告知了有關情況，公子汜對答說：「講和也會後悔，不講和也會後悔。大王眼下如果割讓河東而講和，三國撤兵後，大王一定會說：『三國本來就要回去了，我白白把三座城送給了他們。』如果不講和吧，三國軍隊就會進入韓國，那麼秦國一定要大動干戈，大王您一定會非常後悔，會說：『這是沒有獻出三座城池的過錯。』所以我說：『大王講和也會後悔，不講和也會後悔。』」秦王說：「既然都會後悔，我寧可喪失三城池而後悔，也不想等到國家危亡了才去後悔。我決定講和了。」應侯對秦王說：「大王占領了宛、葉、藍田、陽夏幾個地方，攔腰切斷了河內，圍困了梁、鄭，之所以到現在還沒有稱王天下，是因為趙國還沒有順服。假使放棄上黨，那不過是丟掉一個郡罷了；用兵逼近東陽的話，邯鄲就成了口中的蝨子。大王拱手而使天下來朝，遲到的就用兵拿下！但是上黨是個安樂之鄉，它的地位很要緊，我怕勸您放棄而您不會聽從，怎麼辦呢？」秦王說：「我一定放棄上黨，改變進攻目標。」

【出處】

三國兵至韓，秦王謂樓緩曰：「三國之兵深矣！寡人欲割河東而講，何如？」對曰：「夫割河東，大費也；免國於患，大功也。此父兄之任也，王何不召公子汜而問焉？」王召公子汜而告之，對曰：「講亦悔，不講亦悔。王今割河東而講，三國歸，王必曰：『三國固且去矣，吾特以三城送之。』不講，三國也入韓，則國必大舉矣，王必大悔。王曰：『不獻三城也。』臣故曰：『王講亦悔，不講亦悔。』」王曰：「為我悔也，寧亡三城而悔，無危乃悔。寡人斷講矣。」應侯謂秦王曰：「王得宛、葉、藍田、陽夏，斷河內，困梁、鄭，所以未王者，趙未服也。弛上黨在一而已，以臨東陽，則邯鄲口中蝨也。王拱而朝天下，後者以兵中擊之。然上黨之安樂，其處甚劇，臣恐弛之而不聽，奈何？」王曰：「必弛易之矣。」（《韓非子》〈內儲說上七術第三十〉）

前功盡滅

西周策士蘇厲為避免大梁城破後，秦軍進犯西周，於是希望周君能說服白起放棄這次行動。蘇厲對周君說：「打敗韓、魏聯軍，殺掉魏將犀武，攻下趙國的藺、離石、祁三城的，都是秦將白起，這是他善於用兵，又有上天保佑的緣故。如今攻打魏國，魏國定被攻破，則周岌岌可危，你不如設法制止他。可對白起說：『楚國的養由基是射箭能手，能夠百步穿楊，百發百中。但是如果不調養氣息，就會精神疲倦。此時一箭不中，就會前功盡棄。您現在的情形與養由基何其相似！您率軍擊敗韓、魏，斬殺魏國大將犀武，向北攻趙又打了一連串勝仗。您的功勞已經很多，現攻打魏都大梁，勝了不見得能增加多少功勞，如果進攻不利，豈不前功盡棄？您不如假稱身體有病，不去攻打魏都大梁。』」

【出處】

蘇厲謂周君曰：「敗韓、魏，殺犀武，攻趙，取藺、離石、祁者，皆白起。是攻用兵，又有天命也。今攻梁，梁必破，破則周危，君不若止之。謂白起曰：『楚有養由基者，善射，去柳葉者百步而射之，百發百中。左右皆曰善。』有一人過曰，善射，可教射也矣。養由基曰：『人皆曰善。子乃曰可教射，子何不代我射之也』。客曰：『我不能教子支左屈右。夫射柳葉者，百發百中而不已善息，少焉氣力倦，弓撥矢鉤，一發不中，前功盡矣。今公破韓、魏，殺犀武，而北攻趙，取藺、離石、祁者，公也。公之功甚多。今公又以秦兵出塞，過兩週，踐韓而以攻梁，一攻而不得，前功盡滅。公不若稱病不出也。』」（《戰國策》〈西周策〉）

不謀而信

白起說：「當時楚王倚仗楚國為大國，不理國政，而大臣互相嫉妒爭功，楚國奸臣掌權當道，良臣受到排擠，百姓離心離德，城池缺乏守備，所以我能夠領兵深入楚國，占領很多城邑，拆除橋梁，燒燬船隻，斷絕歸路，來堅定戰士們英勇作戰的決心，並在郊野掠奪食物補充軍糧。在這個時候，秦國的士兵以軍隊為家，以將帥為父母。沒有經過約定，大家都很親近；沒有經過商量，大家都很信任。全軍上下同心同德，抱著必死的信念一往無前。相反，楚國人在自己的國家作戰，都只關心自己的小家，將士離心離德，毫無鬥志。因此我才能建立戰功。」

【出處】

武安君曰：「是時楚王恃其國大，不恤其政，而群臣相妒以功，諂諛用事，良臣斥疏，百姓心離，城池不修，既無良臣，又無守備。故起所以得引兵深入，多倍城邑，發梁焚舟以專民以，掠於郊野以足軍食。當此之時，秦中士卒以軍中為家，將帥為父母，不約而親，不謀而信，一心同功，死不旋踵。楚人自戰其地。咸顧其家，各有散心，莫有鬥志，是以能有功也。」（《戰國策》〈中山策〉）

怏怏不服

秦王以王齕代替王陵統率部隊圍攻邯鄲，圍了八九個月也沒能攻下來。楚國派春申君同魏公子信陵君率領數十萬士兵增援趙國。秦軍損失、傷亡很多。武安君白起私下埋怨說：「秦王不聽我的意見，現在怎樣？」秦王聽說，怒火中燒，強令武安君赴任。武安君稱病不出，應侯再請，仍辭不赴任。秦王於是下令將他削職為民，讓其離開咸陽遷往陰密。武安君以病重為由不走。三個月後，諸侯聯軍加緊攻秦，秦軍屢次退卻。秦王派人驅逐白起，不許他留在咸陽城裡。武安君離開咸陽，到達杜郵。秦昭王得知白起心有怨言，仍有不服，於是派遣使者賜劍令其自殺。武安君仰天長嘆說：「我有何罪，竟落得如此下場。」沉默一下，又說：「我本來該死。長平之戰，趙國士兵投降的有幾十萬人，我用欺詐之術竟將他們全部活埋，這足夠死罪了。」隨即自殺。

【出處】

秦王使王齕代陵將，八九月圍邯鄲，不能拔。楚使春申君及魏公子將兵數十萬攻秦軍，秦軍多失亡。武安君言曰：「秦不聽臣計，今如何矣？」秦王聞之，怒，強起武安君，武安君遂稱病篤。應侯請之，不起。於是免武安君為士伍，遷之陰密。武安君病，未能行。居三月，諸侯攻秦軍急，秦軍數卻，使者日至。秦王乃使人遣白起，不得留咸陽中。武安君既行，出咸陽西門十里，至杜郵。秦昭王與應侯群臣議曰：「白起之遷，其意尚怏怏不服，有餘言。」秦王乃使使者賜之劍，自裁。武安君引劍將自剄，曰：「我何罪於天而至此哉？」良久，曰：「我固當死。長平之戰，趙卒降者數十萬人，我詐而盡坑之，是足以死。」遂自殺。武安君之死也，以秦昭王五十年十一月。死而非其罪，秦人憐之，鄉邑皆祭祀焉。（《史記》〈白起王翦列傳〉）

一飯之德必償

范雎擔任秦相之後，王稽對他說：「天下有三件事不可預知，也有三件事是無可奈何的。君王、您和我哪天死去是三件不可預知的事情。如果君王哪天死了，即便您因為我沒被君王重用而遺憾，那也是無可奈何的事情；如果哪天您突然死了，即便您為沒來得及報答我感到遺憾，也是無可奈何的事情；假如我哪天突然死了，即便您因為沒及時推薦我感到遺憾，那也是無可奈何的事情。」范雎聽了悶悶不樂，於是入宮對秦王說：「如果不是王稽對秦國的忠誠，就不能把我帶進函谷關；如果不是大王賢能聖明，我也不會得到重用。如今我位至相國，爵在列侯，但王稽還僅僅是個謁者，這應該不是他帶我進關的本意吧。」秦昭王於是召見王稽，任命他為河東郡守，下令三年內可以不向朝廷報告郡內治理情況。范雎又向秦昭王舉薦鄭安平，昭王又任命鄭安平為將軍。[21]此外范雎又拿出家中的財物，用來報答所有幫助過他而處境困難的人。

【出處】

范雎既相，王稽謂范雎曰：「事有不可知者三，有不可奈何者亦三。宮車一日晏駕，是事之不可知者一也。君卒然捐館舍，是事之不可知者二也。使臣卒然填溝壑，是事之不可知者三也。宮車一日晏駕，君雖恨於臣，無可奈何。君卒然捐館舍，君雖恨於臣，亦無可奈

---

21. 鄭安平後來在秦趙邯鄲之戰中被趙軍俘虜，被迫投降，並被封為武陽君。《呂氏春秋》〈慎行論・無義〉對其降趙的行為予以譴責。

何。使臣卒然填溝壑，君雖恨於臣，亦無可奈何。」范雎不懌，乃入言於王曰：「非王稽之忠，莫能內臣於函谷關；非大王之賢聖，莫能貴臣。今臣官至於相，爵在列侯，王稽之官尚止於謁者，非其內臣之意也。」昭王召王稽，拜為河東守，三歲不上計。又任鄭安平，昭王以為將軍。范雎於是散家財物，盡以報所嘗困戹者。一飯之德必償，睚眥之怨必報。（《史記》〈范雎蔡澤列傳〉）

日中則移，月滿則虧

秦相范雎因舉薦的鄭安平、王稽犯下重罪內心慚愧不已。蔡澤得知這個消息，決定西行入秦遊宦。臨行前，故意口出豪言激怒范雎說：「燕國大縱橫家蔡澤，是天下雄辯豪傑之士。只要見到秦王，必定會被任命為相，取代范雎的位置。」范雎得知消息，派人召來蔡澤，問他說：「你曾揚言將取代我的相國職位，有這回事嗎？」蔡澤回答說：「有。」范雎說：「那我想聽聽是什麼道理？」蔡澤說：「唉，閣下的反應為什麼如此遲鈍呢！即便是四季的變化，也是本著『功成身退』的自然法則。人活在世上，手腳麻利，耳聰目明，內心像聖人一樣充滿智慧，哪個人不是這樣想的？」范雎點頭說：「你說得很對。」蔡澤又說：「古諺說得好，『太陽到了中午就開始下落，月亮到最圓的時候就開始變虧。』萬物都是盛極而衰，這是自然規律。是進是退，是伸是縮，都要隨著時間變化，這是聖人認定的常理。齊桓公九合諸侯，一匡天下，到葵丘之會就顯出驕傲之色，於是有九個國家背叛他。吳王夫差自以為天下無敵，輕視諸侯，欺凌齊晉，到後來落得國破身亡。夏育、太史啟等人一聲叱吒震撼三軍，最終卻死於凡人之手。這都是盛極而衰的例子。商鞅變法致使秦軍無敵於天下，最後卻被五馬分屍。白起為秦國攻下的城池有七十多座，最後卻在杜郵被秦王賜死。吳起為楚國革除弊政，最後卻死於楚人的亂箭齊發。大夫文種助越王完成霸業，後來被贈劍賜死。這四位賢臣都是因功成而不退，才招致殺身之禍，這就是所謂『伸而不能屈，往而不能返』。只有范蠡懂得明哲保身，超然避世，成為陶朱公。閣下沒有看過賭博的情景嗎？有時想孤注一擲，有時想步步為營，這些都是閣下明白的道理。如今閣下身為相國，功勛已無以復加，此刻如果不知及時隱退，商鞅、吳起、文種之禍就不遠了。您為何不在此時交還相印，虛位以待賢人？這樣既可博取伯夷一樣的美名，又可長享富貴，世代稱孤，更能和仙人王子喬、赤松子一般長壽。又何必要以慘劇收場呢？」范雎深以為是，於是請蔡澤入座，待以上賓之禮。過了幾天，范雎入朝拜見昭王說：「有位新從山東來的客人蔡澤，非常雄辯，臣閱人無數，感覺無人能比，臣自愧不如。」於是昭王召見蔡澤，與他交談甚歡，拜為客卿。范雎稱病請辭相位，昭王不准，范雎推言病重，昭王才准許，拜蔡澤為相。

【出處】

蔡澤見逐於趙，而入韓、魏，遇奪釜鬲於涂。聞應侯任鄭安平、王稽皆負重罪，應侯內慚。乃西入秦，將見昭王。使人宣言以感怒應侯曰：「燕客蔡澤，天下駿雄弘辯之士也。彼一見秦王，秦王必相之而奪君位。」應侯聞之，使人召蔡澤。蔡澤入，則揖應侯，應侯固不快，及見之，又倨。應侯因讓之曰：「子嘗宣言代我相秦，豈有此乎？」對曰：「然。」應侯曰：「請聞其說。」蔡澤曰：「籲！何君見之晚也。夫四時之序，成功者去。夫人生手足堅強，耳目聰明聖知，豈非士之所願與？」應侯曰：「然。」蔡澤曰：「……語曰：『日中則移，月滿則虧。』物盛則衰，天之常數也；進退、盈縮、變化，聖人之常道也。昔者齊桓公九合諸侯，一匡天下，至葵丘之會，有驕矜之色，畔者九國。吳王夫差無敵於天下，輕諸侯，凌齊、晉，遂以殺身亡國。夏育、太史啟叱呼駭三軍，然而身死於庸夫。此皆乘至盛不及道理也。夫商君為孝公平權衡、正度量、調輕重，決裂阡陌，教民耕戰，是以兵動而地廣，兵休而國富，故秦無敵於天下，立威諸侯。功已成，遂以車裂。楚地持戟百萬，白起率數萬之師以與楚戰，一戰舉鄢、郢，再戰燒夷陵，南並蜀、漢，又越韓、魏攻強趙，北坑馬服，誅屠四十餘萬之眾，流血成川，沸聲若雷，使秦業帝。自是之後，趙、楚懾服，不敢攻秦者，白起之勢也。身所服者七十餘城，功已成矣，賜死於杜郵。吳起為楚悼罷無能，廢無用，損不急之官。塞私門之請，壹楚國之俗，南攻楊越，北並陳、蔡，破橫散從，使馳說之士無所開其口。功已成矣，卒肢解。大夫種為越王墾草創邑，闢地殖穀率四方士，上下之力，以禽勁吳，成霸功，勾踐終棓而殺之。此四子者，成功而不去，禍至於此。此所謂信而不能詘，往而不能反者也。范蠡知之，超然避世，長為陶朱。君獨不觀博者乎？或欲大投，或欲分功。此皆君之所明知也。今君相秦，計不下席，謀不出廊廟，坐制諸侯，利施三川，以實宜陽，決羊腸之險，塞太行之口，又斬范、中行之途，棧道千里，通於蜀、漢，使天下皆畏秦。秦之慾得矣，君之功極矣，此亦秦之分功之時也！如是不退，則商君、白公、吳起、大夫種是也。君何不以此時歸相印，讓賢者授之，必有伯夷之廉；長為應侯，世世稱孤，而有喬、松之壽。孰與以禍終哉！此則君何居焉？」應侯曰：「善。」乃延入坐為上客。後數日，入朝，言於秦昭王曰：「客新有從山東來者蔡澤，其人辯士。臣之見人甚眾，莫有及者，臣不如也。」秦昭王召見，與語，大說之，拜為客卿。應侯因謝病，請歸相印。昭王強起應侯，應侯遂稱篤，因免相。昭王新說蔡澤計畫，遂拜為秦相，東收周室。（《戰國策》〈秦三〉）

三人成虎

秦軍攻打邯鄲，苦戰十七個月仍然無法攻克。佚莊對王稽說：「您為什麼不賞賜下級軍官呢？」王稽說：「君王信任我，不會聽信讒言。」佚莊說：「不對，即便是父子關係，也有令在必行和必不行之分。比如說『休掉嬌妻，賣掉愛妾』，就是一道必行的命令，但『不准許想念妻妾』，就是一道必不能行的命令。看守大門的老太婆說：『某日晚上，某年輕媳婦召進一個野男人。』嬌妻已休，愛妾已賣，允許有思念之情。老太婆並沒有教唆年輕媳婦，思淫之心人皆有之。現在閣下雖然很得君王寵信，但能超過父子之親嗎？下級軍官身分雖賤，總不會低於看門的老太婆吧。況且閣下仰仗君王的寵信，平日一直輕視部下。常言說：『三個人說大街上有老虎，大家就會相信真的有虎；認為十個力士可以折彎鐵椎，大家也會信以為真；只要大家異口同聲，沒有翅膀的物品也可以飛起來。』所以不如賞賜諸將善待他們。」王稽沒有採納佚莊的建議。後來部下果然誣告王稽和杜摯謀反。昭王大怒，連范雎也要一併制裁。范雎說：「臣只不過是東方鄉間的一介草民，由於得罪了楚、魏兩國，才逃到秦國來。臣沒有諸侯的支援，也沒有親友在朝中。大王在臣流浪時給予重用，託付軍國大任，是大王過分抬舉我以告示天下。臣情願服毒而死，祈求大王以宰相之禮葬臣。這樣大王就不會擔上誤用重臣之名。」秦昭王說：「有理。」於是仍然厚待范睢。

【出處】

秦攻邯鄲，十七月不下。莊謂王稽曰：「君何不賜軍吏乎？」王稽曰：「吾與王也，不用人言。」莊曰：「不然。父之於子也，令有必行者，必不行者。曰『去貴妻，賣愛妾』，此令必行者也；因曰『毋敢思也』，此令必不行者也。寧閭嫗曰『其夕，某懦子內某士』。貴妻已去，愛妾已賣，而心不有。欲教之者，人心固有。今君雖幸於王，不過父子之親；軍吏雖賤，不卑於守閭嫗。且君擅主輕下之日久矣。聞『三人成虎，十夫楺椎。眾口所移，毋翼而飛』。故曰，不如賜軍吏而禮之。」王稽不聽。軍吏窮，果惡王稽、杜摯以反。秦王大怒，而欲兼誅范睢。范睢曰：「臣，東鄙之賤人也，開罪於魏，遁逃來奔。臣無諸侯之援，親習之故，王舉臣於羈旅之中，使職事，天下皆聞臣之身與王之舉也。今愚惑或與罪人同心，而王明誅之，是王過舉顯於天下，而為諸侯所議也。臣願請藥賜死，而恩以相葬臣，王必不失臣之罪，而無過舉之名。」王曰：「有之。」遂弗殺而善遇之。（《戰國策》〈秦三〉）

肘足接於車

秦昭王問左右的近臣說：「如今的韓國和魏國，是否強過當年？」回答說：「已不如當年。」昭王又問：「如今的如耳、魏齊，其才能與當年的田文、芒卯能否相比？」回答說：「不能。」昭王說：「以田文與芒卯這樣的賢才，率領強大的韓魏聯軍來攻打秦國，也奈何寡人不得。如今是無能的如耳、魏齊率領疲弱的韓魏之兵，又能奈我何！這不是明擺著的麼。」左右都附和說：「大王說得很對。」大臣中期推開面前的琴說：「君王對形勢的判斷錯了。晉國六卿時代，以智氏最強，智氏滅范、中行氏，率領韓、魏聯軍圍趙襄子於晉陽，決開晉水來淹晉陽。僅差六尺晉水就要把全城淹沒。當智伯坐戰車巡視水勢時，韓康子給他拉馬，魏桓子在一旁侍坐。智伯說：『當初我不知道水可以滅人國家，現在我才知道。汾水可以淹沒魏都安邑，絳水可以淹沒韓都平陽。』魏桓子用胳膊肘碰了碰韓康子，韓康子用腳踢了踢魏桓子的腳跟。手腳相碰就敲定了顛覆智伯的策略。後來智伯身死國亡，被天下人恥笑。眼下秦國雖強，卻還沒有超過智伯；韓、魏雖弱，卻也不在當年圍困晉陽之下。此時正是韓魏肘足相接的時候，但願大王不要麻痺大意。」[22]

【出處】

秦昭王謂左右曰：「今日韓、魏，孰與始強？」對曰：「弗如也。」王曰：「今之如耳、魏齊，孰與孟嘗、芒卯之賢？」對曰：「弗

22.《韓非子》〈難三第三十八〉認為近侍和中期的回答都有錯誤。

如也。」王曰：「以孟嘗、芒卯之賢，帥強韓、魏之兵以伐秦，猶無奈寡人何也！今以無能之如耳、魏齊，帥弱韓、魏以攻秦，其無奈寡人何，亦明矣！」左右皆曰：「甚然。」中期推琴對曰：「王之料天下過矣。昔者六晉之時，智氏最強，滅破范、中行，帥韓、魏以圍趙襄子於晉陽。決晉水以灌晉陽，城不沉者三版耳。智伯出行水，韓康子御，魏桓子驂乘。智伯曰：『始吾不知水之可亡人之國也，乃今知之。汾水利以灌安邑，絳水利以灌平陽。』魏桓子肘韓康子，康子履魏桓子，躡其踵。肘足接於車上，而智氏分矣。身死國亡，為天下笑。今秦之強，不能過智伯；韓、魏雖弱，尚賢在晉陽之下也。此乃方其用肘足時也，願王之勿易也。」（《戰國策》〈秦四〉）

徐行而去

秦昭王與大臣中期爭論，被中期說得理屈辭窮。昭王勃然大怒，中期卻從容不迫地走了。有人替中期向昭王解釋說：「中期是個直言無忌的人，幸虧遇到寬宏大量的明君。如果生在夏桀、商紂的時代，必死無疑。」秦王因而沒有責怪中期。

【出處】

秦王與中期爭論，不勝。秦王大怒，中期徐行而去。或為中期說秦王曰：「悍人也。中期適遇明君故也，向者遇桀、紂，必殺之矣。」秦王因不罪。（《戰國策》〈秦五〉）

中朝而嘆

秦昭王在朝廷上感嘆說：「楚國的長劍鋒利，歌伎樂舞卻很拙劣。武器鋒利，士兵作戰時就顯得強壯威猛；歌伎樂舞拙劣，說明他們的國君深謀遠慮。我擔心楚國會威脅到秦國啊。」在平安時想到凶險，在生存時不忘危亡，這樣才能成就霸業。

【出處】

秦昭王中朝而嘆曰：「夫楚劍利、倡優拙。夫劍利則士多慓悍，倡優拙則思慮遠也，吾恐楚之謀秦也。」此謂當吉念凶，而存不忘亡也，卒以成霸焉。(《說苑》〈指武〉)

四海之內若一家

秦昭王問孫卿說：「儒學對國家沒什麼幫助吧？」孫卿說：「儒家學派的人主張傚法古代的聖王，尊崇禮義，謹慎為臣，努力使他們的君主受到人們的敬仰。君主任用他，他會忠於職守；如果棄之不用，他會做一個本分的老百姓。即便窮困凍餓，也絕不會去幹邪門歪道的事。縱然身無立錐之地，一樣胸懷治理國家的大計；雖然奔走呼號沒人呼應，但卻滿腹經綸。讓他身處高位，他能挑起天子、諸侯的重任；身處下層，他也是國家可以依賴的棟梁之才。就算隱居於窮鄉僻壤的陋室裡，也沒有人敢小瞧他們，因為他們有令人敬仰的高尚品德。孔子擔任魯國大司寇之時，羊販子沈猶氏不敢在早上往羊肚子裡灌水，公慎氏休掉了他淫亂的老婆，品行不端的慎潰氏嚇得逃離了魯國，牛馬販子都不敢漫天要價，這就是孔子一身正氣的震懾作用。孔子住在闕裡時，闕裡的年輕人出去打魚捕獵，回來分給父母親人的總會多些，這都是受到孔子重視孝行的行為感化。儒者在朝廷為官，會著力於完善朝政；在鄉野為民，會致力於風俗教化。」秦昭王說：「那要位居上層呢？」孫卿答道：「那他們發揮的作用就大了。他們會心懷堅定的意志，以禮節來整飭朝綱，用制度來端正官吏的行為，使老百姓養成忠、信、愛、利的好品德。哪怕做一件不義的事、殺一個無罪的人就能得到天下，儒者也絕不會幹。他們的高義贏得世人的信賴，聲名享譽海內外。身邊的人歌頌他、擁戴他，遠處的人不辭辛勞投奔他，傚法他。四海之內親如一家，人類足跡所能到達的地方，沒有人不願意追隨他，這就是所說的『為人師表』啊。《詩經》說：『從西到東，從南到北，沒有人不心悅誠服。』怎麼能說他們對國家沒有幫助呢？」秦昭王說：「您說得對。」

【出處】

秦昭王問孫卿曰：「儒無益於人國。」孫卿曰：「儒者法先王，隆禮義，謹乎臣子，而能致貴其上者也。人主用之，則進在本朝；置而不用，則退編百姓，而慤必為順下矣。雖窮困凍餒，必不以邪道為貪，置無錐之地，而明於持社稷之大計，叫呼而莫之能應，然而通乎財萬物，養百姓之經紀。勢在人上，則王公之才也；在人下，則社稷之臣，國君之寶也。雖隱於窮閻漏屋，人莫不貴之，道誠存也。仲尼為魯司寇，沈猶氏不敢朝飲其羊，公慎氏出其妻，慎潰氏踰境而走，魯之鬻牛馬不豫賈，布正以待之也。居於闕黨，闕黨之子弟，罔罟分有親者取多，孝悌以化之也。儒者在本朝則美政，在下位則美俗，儒之為人下如是矣。王曰：「然則其為人上何如？」孫卿對曰：「其為人也廣大矣。志意定乎內，禮節修乎朝，法則度量正乎官，忠信愛利形乎下，行一不義，殺一無罪而得天下，不為也。若義信乎人矣，通於四海，則天下之外，應之而懷之，是何也？則貴名白而天下治也。故近者歌謳而樂之，遠者竭走而超之，四海之內若一家，通達之屬，莫不從服，夫是之謂人師。《詩》曰：『自西自東，自南自北，無思不服。』[23]此之謂也。夫其為人下也，如彼為人上也，如此何為其無益人之國乎？」昭王曰：「善。」（《新序》〈雜事第五〉）

秦趙相與約

秦國和趙國在空雄盟會的時候相互訂立盟約，盟約說：「從今以後，秦國想做的事，趙國給予幫助；趙國想做的事，秦國給予配合。」過後不久，秦國發兵攻打魏國，趙國想出兵相救。秦王很不高興，派人責備趙王說：「盟約說：『秦國想做的事情，趙國給予幫助；趙國想做的事情，秦國予以合作。』現在秦國想攻打魏國，趙國反而要出兵援救，這不符合盟約啊。」趙王把秦王的話告訴平原君，平原君又轉告公孫龍，公孫龍說：「趙王也可以派使臣去責備秦王說：『趙國想援救魏國，秦國卻不支持趙國，這不符合盟約啊。』」

23. 自西自東，自南自北，無思不服。出自《詩經》〈大雅・文王有聲〉。

【出處】

空雄之遇，秦、趙相與約，約曰：「自今以來，秦之所欲為，趙助之；趙之所欲為，秦助之。」居無幾何，秦興兵攻魏，趙欲救之。秦王不說，使人讓趙王曰：「約曰：『秦之所欲為，趙助之；趙之所欲為，秦助之。』今秦欲攻魏，而趙因欲救之，此非約也。」趙王以告平原君，平原君以告公孫龍，公孫龍曰：「亦可以發使而讓秦王曰：『趙欲救之，今秦王獨不助趙，此非約也。』」（《呂氏春秋》〈審應覽・淫辭〉）

魏子為殉

秦宣太后私通大臣魏丑夫，宣太后生病臨死之前，擬下遺詔說：「我死之後，一定要魏丑夫為我殉葬。」魏丑夫聽說此事，非常憂慮。庸芮為魏丑夫出面遊說宣太后說：「太后認為人死之後還有知覺嗎？」宣太后說：「人死了哪裡還有知覺呢。」庸芮說：「像太后這樣睿智的人，明明知道人死了不會有知覺，為什麼還要生前所愛的人陪葬沒有知覺的死人呢？假如死人有知覺的話，先王對太后早就恨之入骨，太后贖罪還來不及呢，哪裡還敢和魏丑夫有私情呢。」宣太后說：「你說得對。」於是放棄讓魏丑夫陪葬的念頭。

【出處】

秦宣太后愛魏丑夫。太后病將死，出令曰：「為我葬，必以魏子為殉。」魏子患之。庸芮為魏子說太后曰：「以死者為有知乎？」太后曰：「無知也。」曰：「若太后之神靈，明知死者之無知矣，何為空以生所愛，葬於無知之死人哉！若死者有知，先王積怒之日久矣，太后救過不贍，何暇乃私魏丑夫乎？」太后曰：「善。」乃止。（《戰國策》〈秦二〉）

秦楚之重

獻則對公孫消說：「您是大臣中最受尊重的人，幾次出征都立有戰功。之所以沒有做到相國的位置，是因為秦孝文后對您印象不好。辛戎是太后親近的人，如今流亡於楚，住在東周。您何不藉助秦、楚兩國的勢力，去幫助他謀求東周相國的位置呢？楚國也會協助您促成此事。辛戎有秦、楚兩國做後盾，秦孝文后也會喜歡您，將來您做相國就十拿九穩了。」

【出處】

獻則謂公孫消曰：「公，大臣之尊者也，數伐有功。所以不為相者，太后不善公也。辛戎者，太后之所親也。今亡於楚，在東周。公何不以秦、楚之重，資而相之於周乎？楚必便之矣。是辛戎有秦、楚之重，太后必悅公，公相必矣。」《戰國策》〈秦五〉

奇貨可居

子楚是秦王庶出的孫子，在趙國當人質，生活困頓，頗不得意。

呂不韋到邯鄲做生意見到了他，很同情子楚，心想：「子楚屬於奇貨，可以囤積。」於是去拜訪子楚，對他說：「我能光大你的門庭。」子楚知道呂不韋的用意，拉他坐下深談。呂不韋說：「秦王老了，安國君被立為太子。我私下聽說安國君非常寵愛華陽夫人，華陽夫人沒有兒子，但選誰為太子由她決定。你們兄弟有二十多個，你又排行中間，不受秦王寵幸，長期在外國當人質，即使秦王去世，安國君繼位，太子之位也輪不到你。」子楚說：「是啊，能有什麼辦法呢？」呂不韋說：「你手頭拮据，又客居在此，沒有奉獻親友賓客的公關能力。我雖然談不上富有，但願意拿出千金來為你前往咸陽遊說，侍奉安國君和華陽夫人，讓他們立你為太子。」子楚叩頭拜謝說：「如果能實現您的計劃，我願意與您共享秦國。」於是呂不韋拿出五百金送給子楚，作為他日常生活和交結賓客的費用；又拿出五百金購買珍奇玩物，而後前往秦國遊說。呂不韋先拜見華陽夫人的姐姐，[24]托她把帶來的東西全都獻給華陽夫人。順便談起子楚的聰明賢能，說他結交的諸侯賓客遍及天下，並說子楚常常對人們說他視夫人為自己的母親一樣，他日夜哭泣思念太子和夫人。夫人非常高興。呂不韋趁機讓華陽夫人的姐姐勸說華陽夫人：「我聽說以美色來侍奉別人的，一旦色衰，寵愛也就隨之減少。現在夫人侍奉太子，甚受寵愛，但是沒有兒子。不如趁早在太子的兒子中選立一個為太子。這樣，丈夫在世時受到尊重，丈夫死後也不會失勢。如今子楚賢能，排行居中，按次序很難被立為繼承人，而他的生母又不受寵愛，自然會依附夫人。如果提拔他為繼承人，夫人一生都會受到尊寵啊。」華陽夫人於是趁太子方

24. 一說華陽夫人的弟弟陽泉君。

便的時候，委婉談起在趙國做人質的子楚，說他非常賢能，來往的人都稱讚他。接著就哭著說：「我有幸填充後宮，但非常遺憾沒有兒子，因此希望能立子楚為繼承人，以便我日後有個依靠。」安國君於是和夫人刻下玉符，決定立子楚為繼承人，並請呂不韋當他的老師。子楚的名聲在諸侯中越來越大。呂不韋在邯鄲時，與一位漂亮的歌女同居。一次呂不韋與子楚飲酒，子楚看上了這位歌女，請求呂不韋把歌女賜給他。開始呂不韋很生氣，但轉念一想，已經為子楚破費了大量錢財，為的是能藉以釣取奇貨，於是把歌女送給了子楚。當時歌女已經有孕在身，後來生下兒子，取名為政。於是子楚把這個女子立為夫人。

【出處】

子楚，秦諸庶孽孫，質於諸侯，車乘進用不饒，居處困，不得意。呂不韋賈邯鄲，見而憐之，曰「此奇貨可居也」。乃往見子楚，說曰：「吾能大子之門。」子楚笑曰：「且自大君之門，而乃大吾門！」呂不韋曰：「子不知也，吾門待子門而大。」子楚心知所謂，乃引與坐，深語。呂不韋曰：「秦王老矣，安國君得為太子。竊聞安國君愛幸華陽夫人，華陽夫人無子，能立適嗣者獨華陽夫人耳。今子兄弟二十餘人，子又居中，不甚見幸，久質諸侯。即大王薨，安國君立為王，則子毋幾得與長子及諸子旦暮在前者爭為太子矣。」子楚曰：「然。為之奈何？」呂不韋曰：「子貧，客於此，非有以奉獻於親及結賓客也。不韋雖貧，請以千金為子西游，事安國君及華陽夫人，立子為適嗣。」子楚乃頓首曰：「必如君策，請得分秦國與君共之。」呂不韋乃以五百金與子楚，為進用，結賓客；而復以五百金買奇物玩好，自奉而西游秦，求見華陽夫人姊，而皆以其物獻華陽夫人。因言子楚賢智，結諸侯賓客遍天下，常曰：「楚也以夫人為天，日夜泣思太子及夫人。」夫人大喜。不韋因使其姊說夫人曰：「吾聞之，以色事人者，色衰而愛弛。今夫人事太子，甚愛而無子，不以此時蚤自結於諸子中賢孝者，舉立以為適而子之，夫在則重尊，夫百歲之後，所子者為王，終不失勢，此所謂一言而萬世之利也。不以繁華時樹本，即色衰愛弛後，雖欲開一語，尚可得乎？今子楚賢，而自知中男也，次不得為適，其母又不得幸，自附夫人，夫人誠以此時拔以為適，夫人則竟世有寵於秦矣。」華陽夫人以為然，承太子閒，從容言子楚質於趙者絕賢，來往者皆稱譽之。乃因涕泣曰：「妾幸得充後宮，不幸無子，願得子楚立以為適嗣，以托妾身。」安國君許之，乃與夫人刻玉符，約以為適嗣。安國君及夫人因厚饋遺子楚，而請呂不韋傅之，子楚以此名譽益盛於諸侯。呂不韋取邯鄲諸姬絕好善舞者與居，知有身。子楚從不韋飲，見而說之，因起為壽，請之。呂不韋怒，念業已破家為子楚，欲以釣奇，乃遂獻其姬。姬自匿有身，至大期時，生子政。子楚遂立姬為夫人。（《史記》〈呂不韋列傳〉）

楚服而見

子楚原名異人。呂不韋運作他回國謀求太子之位的時候，讓他身穿楚國的服裝去見華陽夫人。華陽夫人看到他的打扮十分高興，認為他很有心計，親切地說：「我是楚國人。」於是認他為兒子，並替他更名為「楚」。一次，乘秦王閒暇，子楚進言說：「陛下也曾羈留趙

奇貨可居

國，趙國的豪傑之士知道父王大名的不在少數。如今父王返回秦國，他們都惦念著您，可是父王卻沒有派使臣去看望他們。孩兒擔心他們心生怨恨。希望父王將邊境的城門遲開早閉，防患於未然。」秦王覺得他說得有理，為他的奇謀感到驚訝。華陽夫人趁機勸秦王立子楚為太子。秦王召來丞相，下詔說：「寡人的兒子數子楚最能幹。」於是立子楚為太子。後來子楚即位，任呂不韋為相國，封文信侯，並將藍田十二縣作為他的食邑。稱王后為華陽太后，各國諸侯都給秦國送來封邑。

【出處】

異人至，不韋使楚服而見。王后悅其狀，高其知，曰：「吾楚人也。」而自子之，乃變其名曰楚，王使子誦，子曰：「少棄捐在外，嘗無師傅所教學，不習於誦。」王罷之，乃留止。間曰：「陛下嘗軔車於趙矣，趙之豪傑得知名者不少。今大王反國，皆西面而望。大王無一介之使以存之，臣恐其皆有怨心，使邊境早閉晚開。」王以為然，奇其計。王后勸立之。王乃召相，令之曰：「寡人子莫若楚。」立以為太子。子楚立，以不韋為相，號曰文信侯，食藍田十二縣。王后為華陽太后，諸侯皆致秦邑。（《戰國策》〈秦五〉）

增損一字予千金

戰國末期，魏國有信陵君，楚國有春申君，趙國有平原君，齊國有孟嘗君，四君子均禮賢下士，好結交天下賓客。呂不韋以秦國強大，不甘居於下風，於是也廣招天下文人學士，給予優厚待遇，於是門下食客多達三千人。當時諸侯各國頗多辯士，像荀卿一樣著書立說，流傳天下。呂不韋也命門下食客記錄所見所聞，編輯成冊，分八覽、六論、十二紀，共二十餘萬字。自以為包括了天地萬物古往今來的事理，號稱《呂氏春秋》。並將此書刊布於咸陽城牆上，遍請列國的游士賓客來看，說是若有人能增刪一字，即給予千金之賞。

【出處】

當是時，魏有信陵君，楚有春申君，趙有平原君，齊有孟嘗君，皆下士喜賓客以相傾。呂不韋以秦之強，羞不如，亦招致士，厚遇之，至食客三千人。是時諸侯多辯士，如荀卿之徒，著書布天下。呂不韋乃使其客人人著所聞，集論以為八覽、六論、十二紀，二十餘萬言。以為備天地萬物古今之事，號曰《呂氏春秋》。布咸陽市門，懸千金其上，延諸侯游士賓客有能增損一字者予千金。(《史記》〈呂不韋列傳〉)

張唐相燕

文信侯呂不韋想攻打趙國以擴張他在河間的封地，於是派剛成君蔡澤去燕國做大臣，經過三年的努力，燕國送太子丹到秦國做人質。文信侯又請張唐到燕國為相，想聯合燕國攻伐趙國。張唐推辭說：「到燕國要借道趙國，趙國正懸賞百里之地要抓我呢。」甘羅得知消息，聲稱有辦法促成張唐之行。文信侯喝斥他說：「我親自出馬他尚且不肯，你一個乳臭未乾的小子，能有什麼辦法！」甘羅辯解說：「項橐七歲時能做孔子的老師，我今年已十二歲，君侯為什麼不讓我去試試，幹嗎不由分說呵斥我呢！」於是甘羅拜見張唐，問他說：「閣下認為您的功勞與武安君相比如何？」張唐說：「武安君戰功赫赫，攻城略地不可勝數，我哪裡比得上他。」甘羅說：「閣下果真認為自己比不上武安君嗎？」張唐回答：「是的。」甘羅又問：「再問閣下，以應侯范睢與今日文信侯相比，哪一個權勢更大些？」張唐說：「應該是文信侯。」甘羅問：「閣下確認嗎？」張唐說：「確認。」甘羅接著說：「當年應侯想攻打趙國，武安君阻攔他，結果應侯在離咸陽七里的地方絞死他。現在文信侯親自請您去燕國任相，閣下卻不願意接受，不知道閣下將身死何地啊。」張唐沉吟說：「那就麻煩您轉告文信侯說，我張唐很樂意接受這一使命。」於是讓人準備車馬盤纏，擇日起程。甘羅又去對文信侯說：「請替我準備五輛車子，讓我先去趙國替張唐打通關節。」甘羅來到趙國，趙王親自到郊外迎接他。甘羅問趙王說：「大王聽說太子丹入秦為質的事嗎？」趙王說：「聽說了。」甘羅說：「太子丹入秦也好，張唐到燕國也罷，目的只有一個，就是為了伐趙，擴張河間的地盤。大王若能送給我五座城邑去拓展河間的地盤，我就能使秦國遣還太子丹，並聯合趙國一道攻打燕國。」趙王當即同意割讓五座城邑，於是秦國打發太子丹歸燕。趙國攻打燕國，得上谷三十六縣，分給秦國十分之一的土地。

【出處】

文信侯欲攻趙以廣河間，使剛成君蔡澤事燕三年，而燕太子質於秦。文信侯因請張唐相燕，欲與燕共伐趙，以廣河間之地。張唐辭曰：「燕者必徑於趙，趙人得唐者，受百里之地。」文信侯去而不快。少庶子甘羅曰：「君侯何不快甚也？」文信侯曰：「吾令剛成君蔡澤事燕三年，而燕太子已入質矣。今吾自請張卿相燕而不肯行。」甘羅曰：「臣請行之。」文信侯叱去，曰：「我自行之而不肯，汝安能行之也？」甘羅曰：「夫項槖生七歲而為孔子師，今臣生十二歲於茲矣，君其試臣，奚以遽言叱也！」甘羅見張唐曰：「卿之功孰與武安君？」唐曰：「武安君戰勝攻取，不知其數，攻城墮邑，不知其數。臣之功不如武安君也。」甘羅曰：「卿明知功之不如武安君歟？」曰：「知之。」「應侯之用秦也，孰與文信侯專？」曰：「應侯不如文信侯專。」曰：「卿明知為不如文信侯專歟？」曰：「知之。」甘羅曰：「應侯欲伐趙，武安君難之，去咸陽七里，絞而殺之。今文信侯自請卿相燕，而卿不肯行，臣不知卿所死之處矣！」唐曰：「請因孺子而行！」令庫具車，廄具馬，府具幣，行有日矣。甘羅謂文信侯曰：「借臣車五乘，請為張唐先報趙。」見趙王，趙王郊迎。謂趙王曰：「聞燕太子丹之入秦與？」曰：「聞之。」「聞張唐之相燕與？」曰：「聞之。」「燕太子丹入秦者，燕不欺秦也。張唐相燕者，秦不欺燕也。秦、燕不相欺，則伐趙，危矣。燕、秦所以不相欺者，無異故，欲攻趙而廣河間也。今王齎臣五城以廣河間，請歸燕太子，與強趙攻弱燕。」趙王立割五城以廣河間，歸燕太子。趙攻燕，得上谷三十六縣，與秦什一。（《戰國策》〈秦五〉）

亡趙之半

文信侯呂不韋出走之後，司空馬出奔趙國，趙王讓他代理相國。

此時，秦國正調動兵馬準備進攻趙國。司空馬對趙王說：「文信侯擔任秦相時，臣在他手下做尚書，熟悉秦國的情況。如今臣得到大王的重用，熟悉趙國的情況，臣願為大王將兩國作一番比較，看看誰的勝算大些。大王認為，趙與秦哪個更強大一些？」趙王答說：「趙國實力不如秦國。」司空馬又問：「哪個國家的人口多些？」答說：「秦國多些。」又問：「糧食錢幣能不能與秦相比？」回答說：「不能。」「哪一國政令更嚴明？」「還是秦國。」於是司空馬說：「既然趙國每一樣都不如秦國，大王就等著亡國了。」趙王懇求說：「希望先生不要嫌棄趙國，不吝賜教，寡人願意聽從先生的謀劃。」司空馬獻策說：「大王可以犧牲一半國土來獻給秦王，秦國兵不血刃獲得趙國半壁江山，必然滿足。秦國得到土地，便會退兵回國暫作休整，趙國雖然僅剩半壁河山，還不足以亡國。秦國收到賄賂會日益驕橫，山東諸侯必然恐慌；但是趙國滅亡就會危及諸侯，自然驚恐不安，從而出兵救趙，結成合縱之盟。臣請求為大王約會各路諸侯，如此大王名義上失去了半壁河山，實際上卻得到山東各國的援助來共同抗秦，秦國就不難對付了。」趙王說：「不久前秦出兵攻趙，寡人為求自保，曾以河間十二縣賄賂秦國，以致國土淪喪，兵力削弱，卻始終逃不脫秦兵的逼迫。如今先生又建議割讓半數國土，只恐秦國更加強大，趙國更無力自保，最終亡國。希望先生另出良策。」司空馬說：「臣雖然出身於刀筆小吏，累官而積，仍是尚書小官，從來沒有率兵打仗，臣請求率領趙國全軍以抗擊秦國。」趙王不願意讓司空馬擔任統帥。司空馬無奈，只好說：「臣只有區區愚計，大王不納，臣也沒什麼能奉獻給大王了，臣請求離開趙國。」司空馬離開邯鄲，經過平原津。平源津令郭遺熱情接待他，向他打聽戰事：「聽說秦兵正在攻打趙國，客人自邯鄲來，請問戰況如何？」司空馬認為趙王不採納自己的建議，滅國只在早晚。郭遺說：「客人估計趙國能支撐多久？」司空馬說：「趙王若能以武安君李牧為將，可以支撐一年；如果妄殺武安君，則不出半年就會亡國。趙王有寵臣韓倉，善於阿諛奉承、曲意逢迎，甚得趙王歡心。此人妒賢嫉能。如今趙國形勢危急，趙王聽信韓倉之言，武安君必死。」韓倉果然在趙王面前攻擊李牧，趙王於是派人取代李牧為統帥。李牧引劍自殺後五個月，趙國就滅亡了。平原令郭遺每次見到朋友，總為司空馬嗟嘆不已。趙國放走了司空馬，致使國家滅亡，可見亡國滅族，並非沒有賢才輔佐，只是君主不能用賢罷了。

【出處】

文信侯出走，與司空馬之趙，趙以為守相。秦下甲而攻趙。司馬空說趙王曰：「文信侯相秦，臣事之，為尚書，習秦事。今大王使守小官，習趙事。請為大王設秦、趙之戰，而親觀其孰勝。趙孰與秦大？」曰：「不如。」「民孰與之眾？」曰：「不如。」「金錢粟孰與之富？」曰：「弗如。」「國孰與之治？」曰：「不如。」「相孰與之賢？」曰：「不如。」「將孰與之武？」曰：「不如。」「律令孰與之明？」曰：「不如。」司空馬曰：「然則大王之國，百舉而無及秦者，大王之國亡。」趙王曰：「卿不遠趙，而悉教以國事，願於因計。」司空馬曰：「大王裂趙之半以賂秦，秦不接刃而得趙之半，秦必悅。內惡趙之守，外恐諸侯之救，秦必受之。秦受地而郤兵，趙守半國以自存。秦銜賂以自強，山東必恐；亡趙自危，諸侯必懼。懼而相救，則從事可成。臣請大王約從。從事成，則是大王名亡趙之半，實得山東以敵秦，秦不足亡。」趙王曰：「前日秦下甲攻趙，趙賂以河間十二縣，地削兵弱，卒不免秦患。今又割趙之半以強秦，力不能自存，因以亡矣。願卿之更計。」司空馬曰：「臣少為秦刀筆，以官長而守小官，未嘗為兵首，請為大王悉趙兵以遇。」趙王不能將。司空馬曰：「臣效愚計，大王不用，是臣無以事大王，願自請。」司空馬去趙，渡平原。平原津令郭遺勞而問：「秦兵下趙，上客從趙來，趙事何如？」司空馬言其為趙王計而弗用，趙必亡。平原令曰：「以上客料之，趙何時亡？」司空馬曰：「趙將武安君，期年而亡；若殺武安君，不過半年。趙王之臣有韓倉者，以曲合於趙王，其交甚親，其為人疾賢妒功臣。今國危亡，王必用其言，武安君必死。」韓倉果惡之，王使人代。武安君至，使韓倉數之曰：「將軍戰勝，王觴將軍。將軍為壽於前而捍匕首，當死。」武安君曰：「繓病鉤，身大臂短，不能及地，起居不敬，恐懼死罪於前，故使工人為木材以接手。上若不信，繓請以出示。」出之袖中，以示韓倉，狀如振捆，纏之以布。「願公入明之。」韓倉曰：「受命於王，賜將軍死，不赦。臣不敢言。」武安君北面再拜賜死，縮劍將自誅，乃曰：「人臣不得自殺宮中。」遇司空馬門，趣甚疾，出諏門也。右舉劍將近自誅，臂短不能及，銜劍徵之於柱以自刺。武安君死五月，趙亡。平原令見諸公，必為言之曰：「磋嗞乎，司空馬！」又以為司空馬逐於秦，非不知也；去趙，非不肖也。趙去司空馬而國亡。國亡者，非無賢人，不能用也。（《戰國策》〈秦五〉）

請園池為子孫業

秦始皇滅掉韓、趙、魏三國，趕跑燕王喜，同時多次戰勝楚軍。秦國將領李信年少壯勇，曾經率領數千士兵將燕軍攆至衍水，生俘太子丹。秦始皇認為李信賢能勇武，於是問他說：「如果要攻克楚國，將軍估計需要調用多少人馬？」李信回答說：「最多不過二十萬人。」秦始皇再問王翦，王翦回答說：「非六十萬人不可。」秦始皇說：「王將軍老了，這麼膽怯啊。李將軍果敢勇武，他的話是對的。」於是派李信、蒙恬領兵二十萬向南攻打楚國。王翦推託有病，回到老家頻陽養老。李信、蒙恬在平輿、寢丘邑大敗楚軍，秦軍繼續挺進，李信又攻克鄢、郢。李信率部隊向西前進，與蒙恬在城父會師。楚軍跟隨秦軍，三天三夜馬不停蹄，終於大破李信部隊，攻入兩個軍營，殺死七個都尉，秦軍大敗而逃。秦始皇得知消息，大為震怒，親自來到頻陽，向王翦道歉說：「由於沒有採納您的建議，李信果然使秦軍蒙受恥辱。聽說楚軍一天天向西逼進，將軍雖然染病，難道忍心拋棄我嗎？」王翦辭謝說：「老臣疲病昏聵，請大王另擇良將。」秦始皇再次表示歉意說：「我已認錯，將軍不要再推辭了！」王翦說：「大王一定要以我為將，非六十萬人不可。」秦始皇滿口答應說：「一切由將軍來安排。」於是王翦率領六十萬大軍出發。秦始皇親自到灞上送行。王翦臨出發時，向秦始皇討要良田、美宅、園林池苑等諸多賞賜。秦始皇說：「將軍儘管上路好了，還擔心將來會過窮日子嗎？」王翦說：「替大王帶兵，即便有功也難封侯，趁著大王器重我，得抓緊為子孫後代置點家產啊。」秦始皇聽了哈哈大笑。王翦到達函谷關，連續五次派使者回朝廷請求賞賜。手下人議論說：「將軍也太過分了吧。」王翦說：「你們不懂。秦王性情粗暴為人多疑。現在大王把全國的軍隊都交給我來指揮，如果我不用請賞來表達出征的堅定意志，難道讓秦王平白無故地疑慮我嗎？」

【出處】

秦始皇既滅三晉，走燕王，而數破荊師。秦將李信者，年少壯勇，嘗以兵數千逐燕太子丹至於衍水中，卒破得丹，始皇以為賢勇。於是始皇問李信：「吾欲攻取荊，於將軍度用幾何人而足？」李信曰：「不過用二十萬人。」始皇問王翦，王翦曰：「非六十萬人不可。」始皇曰：「王將軍老矣，何怯也！李將軍果勢壯勇，其言是也。」遂使李信及蒙恬將二十萬南伐荊。王翦言不用，因謝病，歸老於頻陽。李信攻平與，蒙恬攻寢，大破荊軍。信又攻鄢、郢，破之，於是引兵而西，與蒙恬會城父。荊人因隨之，三日三夜不頓舍，大破李信軍，入兩壁，殺七都尉，秦軍走。始皇聞之，大怒，自馳如頻陽，見謝王翦曰：「寡人以不用將軍計，李信果辱秦軍。今聞荊兵日進而西，將軍雖病，獨忍棄寡人乎？」王翦謝曰：「老臣罷病悖亂，唯大王更擇賢將。」始皇謝曰：「已矣，將軍勿復言！」王翦曰：「大王必不得已用臣，非六十萬人不可。」始皇曰：「為聽將軍計耳。」於是王翦將兵六十萬人，始皇自送至灞上。王翦行，請美田宅園池甚眾。始皇曰：「將軍行矣，何憂貧乎？」王翦曰：「為大王將，有功終不得封侯，故及大王之向臣，臣亦及時以請園池為子孫業耳。」始皇大笑。王翦既至關，使使還請善田者五輩。或曰：「將軍之乞貸，亦已甚矣。」王翦曰：「不然。夫秦王怚而不信人。今空秦國甲士而專委

於我，我不多請田宅為子孫業以自堅，顧令秦王坐而疑我邪？」(《史記》〈白起王翦列傳〉)

平荊地為郡縣

王翦代替李信繼續伐楚。楚王得知消息，調集全部兵力抵禦秦兵。王翦抵達戰場，採取堅壁固守的策略。楚軍屢次挑戰，他始終堅守不出。王翦讓士兵們天天休息洗浴，供給上等飯菜撫慰他們，親自與士兵同飲同食。過了一段時間，王翦派人去看看士兵們在玩什麼遊戲，回報說：「正在比賽投石塊，看誰扔得遠。」王翦於是說：「士兵可以用了。」楚軍屢次挑戰，秦軍不肯應戰，於是領兵向東而去。王翦趁機發兵追擊，派身強力壯的戰士實施強攻，大敗楚軍。追到蘄南，殺死楚軍將領項燕，之後俘虜楚王負芻，平定楚國，將楚國分解為秦國的郡縣。隨後又南征百越，取得勝利，因功晉封武成侯。王翦的兒子王賁與李信隨後攻陷了燕國和齊國。

【出處】

王翦果代李信擊荊。荊聞王翦益軍而來，乃悉國中兵以拒秦。王翦至，堅壁而守之，不肯戰。荊兵數出挑戰，終不出。王翦日休士洗沐，而善飲食撫循之，親與士卒同食。久之，王翦使人問軍中戲乎？對曰：「方投石超距。」於是王翦曰：「士卒可用矣。」荊數挑戰而秦不出，乃引而東。翦因舉兵追之，令壯士擊，大破荊軍。至蘄南，殺其將軍項燕，荊兵遂敗走。秦因乘勝略定荊地城邑。歲餘，虜荊王負

芻，竟平荊地為郡縣。因南征百越之君。而王翦子王賁，與李信破定燕、齊地。(《史記》〈白起王翦列傳〉)

雖長何益

優旃是秦國的藝人，個頭非常矮小。他擅長講笑話，常能合乎大道理。秦始皇時，宮中設置酒宴，正遇上下雨，殿裡殿外站崗值勤的衛士都淋著雨，忍受風寒。優旃見了十分同情，問他們說：「你們想休息嗎？」衛士們都說：「非常希望。」優旃說：「如果我呼叫你們，你們要迅速答應我。」過了一會兒，宮殿上向秦始皇祝酒，高呼萬歲。優旃靠近欄杆大聲呼喊說：「衛士！」衛士們齊聲回答：「在！」優旃說：「你們雖然身材高大，又有什麼用？只能站在露天淋雨。我雖個頭矮小，卻有幸能在這裡休息。」秦始皇於是准許衛士減半值勤時間，輪流交替。秦始皇曾經考慮擴建獵場，東到函谷關，西至雍縣、陳倉。優旃擊掌說：「好！多養些禽獸在裡面，如果敵人從東方來侵犯，讓麋鹿用角去抵擋他們就足夠了。」秦始皇於是放棄了擴張獵場的計劃。

【出處】

優旃者，秦倡侏儒也。善為笑言，然合於大道，秦始皇時，置酒而天雨，陛楯者皆沾寒。優旃見而哀之，謂之曰：「汝欲休乎？」陛楯者皆曰：「幸甚。」優旃曰：「我即呼汝，汝疾應曰諾。」居有頃，殿上上壽呼萬歲。優旃臨檻大呼曰：「陛楯郎！」郎曰：「諾。」優旃曰：「汝雖長，何益，雨中立。我雖短也，幸休居。」於是始皇使陛楯者得半相代。始皇嘗議欲大苑囿，東至函谷關，西至雍、陳倉。優旃曰：「善。多縱禽獸於其中，寇從東方來，令麋鹿觸之足矣。」始皇以故輟止。（《史記》〈滑稽列傳〉）

萬金而遊

秦王想召見頓弱，頓弱說：「臣有個壞習慣，就是對君王從不行參拜之禮。如果大王能免我參拜之禮，臣即刻來見，否則恕不前往。」秦王同意了他的條件。於是頓弱入見，對秦王說：「天下有有實無名的人，有有名無實的人，有無名無實的人，大王知道嗎？」秦王說：「寡人不知。」頓弱說：「商人有實無名，不用辛勤耕作卻積粟滿倉；農夫有名無實，冒著春寒耕種，頂著烈日收割，卻家無積粟；大王無名無實，身為萬乘之尊，卻無孝親之名；坐擁千里，卻無孝親之實。」秦王勃然大怒。頓弱繼續說：「大王以赫赫威權，不能壓制山東六國，卻將威權施加於母后，臣私下認為，大王這樣做非常不妥。」秦王說：「你看寡人能吞併六國嗎？」頓弱說：「韓國扼天下之咽喉，魏國處天下之胸腹。大王若肯以萬金資助，臣願東往韓、魏，策動兩國執政之臣聽命於大王，如此韓魏兩國即可臣服，然後可圖謀天下。」秦王推託說：「寡人的國家貧窮，恐怕拿不出那麼多錢。」頓弱說：「如今天下紛亂，不是諸侯合縱，就是秦國連橫。連橫成則秦國稱帝，合縱成則楚國為王。秦國一旦稱帝，即富有天下；如果楚國成就霸業，大王縱然坐擁萬金，又有何用？」秦王深以為然，於是以萬金資助頓弱東行遊說韓、魏，籠絡兩國主政之臣。頓弱到達燕、趙之後，施行反間之計，除掉趙將李牧。後來齊王建入秦，燕、趙、魏、韓四國均歸附秦國，這些都是頓弱遊說的結果啊！

【出處】

秦王欲見頓弱，頓弱曰：「臣之義不參拜，王能使臣無拜即可矣，不即不見也。」秦王許之。於是頓子曰：「天下有有其實而無其名者，有無其實而有其名者，有無其名又無其實者，王知之乎？」王曰：「弗知。」頓子曰：「有其實而無其名者，商人是也。無把銚推耨之勢，而有積粟之實，此有其實而無其名者也。無其實而有其名者，農夫是也。解凍而耕，暴背而耨，無積粟之實，此無其實而有其名者也。無其名又無其實者，王乃是也。已立為萬乘，無孝之名；以千里養，無孝之實。」秦王悖然而怒。頓弱曰：「山東戰國有六，威不掩於山東而掩於母，臣竊為大王不取也。」秦王曰：「山東之建國可兼與？」頓子曰：「韓，天下之咽喉；魏，天下之胸腹。王資臣萬金而遊，聽之韓、魏，入其社稷之臣於秦，即韓、魏從。韓、魏從，而天下可圖也。」秦王曰：「寡人之國貧，恐不能給也。」頓子曰：「天下未嘗無事也，非從即橫也。橫成則秦帝，從成即楚王。秦帝，即以天下恭養；楚王，即王雖有萬金，弗得私也。」秦王曰：「善。」乃資萬金，使東遊韓、魏，入其將相。北遊於燕、趙而殺李牧。齊王入朝，四國必從，頓子之說也。（《戰國策》〈秦四〉）

明主不取其污

燕、趙、齊、楚四國結成聯盟，準備攻打秦國。秦王召集大臣和眾賓客六十人商議對策。秦王問說：「當下四國聯合攻秦，現在秦國內外交困，應該如何應對呢？」大臣們不知如何回答。這時姚賈站出來回答說：「臣願意出使四國，一定破壞他們的陰謀，阻止他們用兵。」於是秦王撥給他戰車百輛，黃金千斤，並讓他穿上自己的朝服，佩帶自己的寶劍。姚賈辭別秦王，遍訪四國，不但瓦解了四國聯盟，還與四國建立了友好的外交關係。秦王十分高興，賞給他千戶人口的城邑，任他為上卿。韓非知道後，向秦王誹謗他說：「姚賈拿著珍珠重寶，南使荊吳，北往燕、代，長達三年。這些國家未必真心實意與秦國友好，而本國國庫中的珍寶卻已散盡。這是姚賈假借大王的權勢，用秦國的珍寶私自結交諸侯，希望大王明察。何況姚賈不過是魏都大梁一個守門人的兒子，曾在魏國做過盜賊，後來在趙國做官，也被驅逐出境，以這樣的人為上卿，讓他參與國家大事，不是勉勵群臣的辦法。」於是秦王召來姚賈，問他說：「寡人聽說你用秦國的珍寶結交諸侯，可有此事？」姚賈回答說：「有啊。」秦王說：「那你還有什麼臉面再見寡人？」姚賈回答說：「曾參孝順父母，天下人都希望有這樣的兒子；伍子胥忠君報主，天下諸侯都願有這樣的下臣；貞女擅長女工，天下男人都願娶這樣的妻子。而臣效忠大王，大王卻不知情。臣不把財寶送給四個國家，那要送給誰呢？大王再想，假如臣不忠於君王，四國之君憑什麼信任臣？夏桀聽信讒言殺死良將關龍逢，紂王聽信讒言殺死忠臣比干，以致於身死國亡。如今大王聽信讒言，還有哪個忠臣會為國出力？」秦王說：「寡人聽說你是看門人之子、魏都的盜賊、趙國的逐臣。」姚賈回答說：「姜太公是被老婆趕出家門的齊人，是朝歌連肉都賣不出去的無用屠戶，也是被子良驅逐的家臣。他在棘津時，做苦力都無人僱用。而被文王用為輔佐，最終成就天子偉業。管仲不過是齊國邊邑的商販，南陽的窮光蛋，魯國釋放的囚犯，齊桓公任用他而建立了霸業。百里傒不過是晉國送給秦國的陪嫁奴僕，身價只值五張羊皮，秦穆公任用他為相後竟使西戎臣服。晉文公用中山國的盜賊而在城濮之戰中獲勝。此四人皆有污點，為天下人所不齒，而明主予以重用，是因為知道他們能為國家建立功勛。假如人人都像卞隨、務光、申屠狄那樣，[25]又有誰來為國效命呢？所以英明的君主不會計較臣子的過失，不聽信別人的讒言，只考察他們能否為己所用。能夠安邦定國的君主，雖然有外人的誹謗而不會聽從，雖然有高世虛名，沒有尺寸之功，也不會賞賜。這樣一來，群臣就不敢以虛名希求於國君了。」秦王說：「是這樣的。」於是繼續讓姚賈出使列國而殺死了韓非。

【出處】

四國為一，將以攻秦。秦王召群臣賓客六十人而問焉，曰：「四國為一，將以圖秦，寡人屈於內，而百姓靡於外，為之奈何？」群臣莫對。姚賈對曰：「賈願出使四國，必絕其謀而安其兵。」乃資車百乘，金千斤，衣以其衣，冠以其冠，帶以其劍。姚賈辭行，絕其

---

25. 據《莊子》〈讓王〉記載，湯戰勝夏桀後，要讓天下給卞隨，卞隨認為受到污辱，投水而死。湯又讓位務光，務光不肯接受，負石沉水而死。另據《莊子》〈外物〉：「三年，申徒狄因以踣河。」

謀，止其兵，與之為交以報秦。秦王大悅，賈封千戶，以為上卿。韓非短之，曰：「賈以珍珠重寶南使荊、吳，北使燕、代之間三年，四國之交未必合也，而珍珠重寶盡於內，是賈以王之權、國之寶，外自交於諸侯，願王察之。且梁監門子，嘗盜於梁，臣於趙而逐。取世監門子，梁之大盜，趙之逐臣，與同知社稷之計，非所以厲群臣也。」王召姚賈而問曰：「吾聞子以寡人財交於諸侯，有諸？」對曰：「有之。」王曰：「有何面目復見寡人？」對曰：「曾參孝其親，天下願以為子；子胥忠於君，天下願以為臣；貞女工巧，天下願以為妃。今賈忠王而王不知也，賈不歸四國，尚焉之？使賈不忠於君，四國之王尚焉用賈之身？梁聽讒而誅其良將，紂聞讒而殺其忠臣，至身死國亡。今王聽讒，則無忠臣矣。」王曰：「子監門子，梁之大盜，趙之逐臣。」姚賈曰：「太公望，齊之逐夫，朝歌之廢屠，子良之逐臣，棘津之讎不庸，文王用之而王。管仲，其鄙之賈人也，南陽之弊幽，魯之免囚，桓公用之而伯。百里傒，虞之乞人，傳賣以五羊之皮，穆公相之而朝西戎。文公用中山盜，而勝於城濮。此四士者，皆有詬醜，大誹天下，明主用之，知其可與立功。使若卞隨、務光、申屠狄，人主豈得其用哉！故明主不取其污，不聽其非，察其為己用。故可以存社稷者，雖有外誹者不聽；雖有高世之名，無咫尺之功者不賞。是以群臣莫敢以虛願望於上。」秦王曰：「然。」乃可復使姚賈而誅韓非。（《戰國策》〈秦五〉）

危於累卵

有人從維護六國利益的角度遊說秦王說：「國土遼闊不足以永保平安，人口眾多不足以恃強逞能，否則夏舛、商紂的後代便能世襲為君。過去趙氏盛極一時，東可以震懾齊國，西可以壓制魏國，此外還困住宋國。趙人築起剛平城，使得衛都東門幾乎沒有郊野，衛人連放牧打柴都不敢邁出東門。當時衛國岌岌可危。這時天下遊說之士一起謀劃說：『我們怎甘心委身邯鄲，向趙氏俯首稱臣？』於是有人倡議攻打趙國，諸侯群起響應，當即就行動起來。魏惠王出兵攻破邯鄲，在逢澤主持諸侯會盟，他乘坐夏車，自稱夏王，率領諸侯朝見周天子，諸侯各國盡皆跟從。齊侯聽說這件事，於是出兵討伐魏國。魏國喪師失地，瀕於危亡。魏惠王不得已，帶上重禮向齊侯請罪，表示願意俯首稱臣。諸侯們這才停止對魏國的打擊。楚威王聽說齊侯開始稱霸後寢食難安，便統率各路諸侯與齊將申縛在泗水大戰，大敗齊軍。趙人趁勢占領枝桑，燕人出兵攻占格道，隔斷了齊國平際。齊國欲戰不能，欲謀不得，只好以陳毛為使，南下向楚王請罪，同時對趙、燕兩國好言相求，在國內安撫百姓，這樣天下諸侯才放棄對齊國的窮追猛打。積薄漸厚，積少成多，此後楚威王漸漸得勢，成為眾矢之的。楚國的戰敗，難道是因為楚威王政治腐敗、謀略失誤嗎？與此次的趙、魏、齊國一樣，都是因為好勇逞強、妄自尊大啊！」

【出處】

或為六國說秦王曰：「土廣不足以為安，人眾不足以為強。若土廣者安，人眾者強，則桀、紂之後將存。昔者，趙氏亦嘗強矣。曰，趙強何若？舉左案齊，舉右案魏，厭案萬乘之國二，國千乘之宋也。築剛平，衛無東野，芻牧薪采莫敢窺東門。當是時，衛危於累卵。天下之士相從謀曰：『吾將還其委質，而朝於邯鄲之君乎？』於是天下有稱伐邯鄲者，莫令朝行。魏伐邯鄲，因退為逢澤之遇，乘夏車，稱夏王，朝為天子，天下皆從。齊太公聞之，舉兵伐魏，壤地兩分，國家大危。梁王身抱質執璧，請為陳侯臣，天下乃釋梁。郢威王聞之，寢不寐，食不飽，帥天下百姓以與申縛遇於泗水之上，而大敗申縛。趙人聞之至枝桑，燕人聞之至格道。格道不通，平際絕。齊戰敗不勝，謀則不得，使陳毛釋劍掫，委南聽罪，西說趙，北說燕，內喻其百姓，而天下乃齊釋。於是夫積薄而為厚，聚少而為多，以同言郢威王於側牖之間。臣豈以郢威王為政衰謀亂以致於此哉？郢為強，臨天下諸侯，故天下謀伐之也。」（《戰國策》〈秦四〉）

國無良龜

秦楚兩國交戰，秦王派使者出使楚國。楚王派人戲弄秦國使者說：「你這次來占卜過嗎？」回答說：「占過。」楚人問：「結果怎樣？」回答說：「吉利。」楚人說：「唉！太嚴重了，你們國家竟然沒有占卜的良龜！楚王正要殺你來祭鐘，哪有什麼吉利可言呢。」秦使回答說：「秦、楚兩國交戰，我的大王派我先來察看情況。如果我死了不能回去，大王就會加倍警惕，整頓軍隊來抵禦楚軍，這就是我說的吉利。再說，死人如果沒有知覺，又何必用來祭鐘？如果有知

國無良龜

覺，我難道會背叛秦國而幫助楚國嗎？我一定會讓楚國的鐘鼓發不出聲音，那麼楚國的軍隊將無法統一指揮。況且殺死別國的使臣，自古以來都不符合外交慣例。大夫不妨仔細想想這個道理。」楚人將此情況報告楚王，楚王於是赦免了秦國使者。

【出處】

秦、楚轂兵，秦王使人使楚，楚王使人戲之曰：「子來亦卜之乎？」對曰：「然！」「卜之謂何？」對曰：「吉。」楚人曰：「噫！甚矣！子之國無良龜也。王方殺子以釁鐘，其吉如何？」使者曰：「秦、楚轂兵，吾王使我先窺我死而不還，則吾王知警戒，整齊兵以備楚，是吾所謂吉也。且使死者而無知也，又何釁於鐘，死者而有知也，吾豈錯秦相楚哉？我將使楚之鐘鼓無聲，鐘鼓無聲則將無以整齊其士卒而理君軍。夫殺人之使，絕人之謀，非古之通議也。子大夫試熟計之。」使者以報楚王。楚王赦之。（《說苑》〈奉使〉《韓非子》〈說林下第二十三〉）

敵國有賢

楚王派人到秦國去，受到了秦王的禮遇。秦王說：「敵國有賢人，是我國的憂患。楚王派來的使者很能幹，我很憂心。」群臣勸諫說：「憑大王的聖明和我們國家資源的豐富，還有什麼好擔心的？既然羨慕楚國的賢人，大王何不與他深交，暗中加以籠絡呢？楚國以為他被外國利用，一定會處罰他的。」

【出處】

荊王使人之秦，秦王甚禮之。王曰：「敵國有賢者，國之憂也。今荊王之使者甚賢，寡人患之。」群臣諫曰：「以王之賢聖與國之資厚，願荊王之賢人，王何不深知之而陰有之。荊以為外用也，則必誅之。」（《韓非子》〈內儲說下六微第三十一〉）

在所自處

李斯是楚國上蔡人，年輕時只是郡縣的一名小吏。善於思考的他觀察到一個有趣的現象。在辦公處所上廁所時，經常發現有老鼠吃髒東西，每逢有人或狗進來時，就受驚逃跑。但糧倉裡的老鼠卻不是這樣，它們居住在不經風雨的屋子裡，吃的是囤積的粟米，悠哉悠哉地在米堆中嬉戲交配，一隻隻撐得又大又肥，絕沒有人或狗帶來的威脅和驚恐。於是李斯深有感觸，慨然嘆息道：「一個人有沒有出息，就如同老鼠一樣，是由自己所處的環境決定的。」李斯決定改變自己的命運，他毅然辭去小吏，拜荀卿為師，學習「帝王之術」。學業完成後，他看楚王不值得一起共事，而其他六國又都很弱小，於是決定到西邊的秦國去一展抱負。到秦國之後，正趕上秦莊襄王去世，李斯就請求充當秦相國文信侯呂不韋的舍人；呂不韋很賞識他，任命他為郎官。這樣就使得李斯有遊說的機會，他對秦王說：「平庸的人往往失去時機，而成大功業的人就在於他能利用機會並能下狠心。從前秦穆公雖稱霸天下，但最終沒有東進吞併山東六國，這是什麼原因呢？原因在於諸侯的人數還多，周朝的德望也沒有衰落，因此五霸交替興起，相繼推尊周朝。自從秦孝公以來，周朝卑弱衰微，諸侯之間互相兼併，函谷關以東地區只剩下六國，秦國乘勝奴役諸侯已經六代。現如今諸侯服從秦國就如同郡縣服從朝廷一樣。以秦國的強大，大王的賢明，就像掃除灶上的灰塵一樣，足以掃平諸侯，成就帝業，使天下統一，這是萬世難逢的一個最好時機。倘若現在懈怠而不抓緊此事的話，等到諸侯再強盛起來，又訂立合縱的盟約，雖然有黃帝一樣的賢明，也不能吞併它們了。」秦始皇就任命李斯為長史，聽從了他的計謀，暗中派遣謀士帶著黃金珠寶去各國遊說。對各國有名望的人物能收買的，就多送禮物加以收買；不能收買的，就用利劍把他們殺掉。這些都是離間諸侯國君臣關係的計策，接著，秦王就派良將隨後攻打。秦王任命李斯為客卿。

【出處】

李斯者，楚上蔡人也。年少時，為郡小吏，見吏舍廁中鼠食不絜，近人犬，數驚恐之。斯入倉，觀倉中鼠，食積粟，居大廡之下，不見人犬之憂。於是李斯乃嘆曰：「人之賢不肖譬如鼠矣，在所自處耳！」乃從荀卿學帝王之術。學已成，度楚王不足事，而六國皆弱，無可為建功者，欲西入秦。辭於荀卿曰：「斯聞得時無怠，今萬乘方爭時，游者主事。今秦王欲吞天下，稱帝而治，此布衣馳騖之時而游說者之秋也。處卑賤之位而計不為者，此禽鹿視肉，人面而能強行者耳。故詬莫大於卑賤，而悲莫甚於窮困。久處卑賤之位，困苦之地，非世而惡利，自托於無為，此非士之情也。故斯將西說秦王矣。」至秦，會莊襄王卒，李斯乃求為秦相文信侯呂不韋舍人；不韋賢之，任以為郎。李斯因以得說，說秦王曰：「胥人者，去其幾也。成大功者，在因瑕釁而遂忍之。昔者秦穆公之霸，終不東並六國者，何也？諸侯尚眾，周德未衰，故五伯迭興，更尊周室。自秦孝公以來，周室卑微，諸侯相兼，關東為六國，秦之乘勝役諸侯，蓋六世矣。今諸侯服秦，譬若郡縣。夫以秦之強，大王之賢，由灶上騷除，足以滅諸侯，成帝業，為天下一統，此萬世之一時也。今怠而不急就，諸侯復強，相聚約從，雖有黃帝之賢，不能並也。」秦王乃拜斯為長史，聽其計，陰遣謀士齎持金玉以游說諸侯。諸侯名士可下以財者，厚遺結之；不肯者，利劍刺之。離其君臣之計，秦王乃使其良將隨其後。秦王拜斯為客卿。（《史記》〈李斯列傳〉）

鄭國渠

韓國聽說秦國喜歡興建大型工程，想以此消耗它的國力，使秦國無力對山東諸國用兵，於是讓水利工匠鄭國找機會遊說秦國，鑿穿涇水，從中山以西的瓠口，出北山向東注入洛水，修一條長三百餘里的水渠，用來灌溉農田。水渠未修成，鄭國的陰謀就被發覺。秦國要殺他，鄭國說：「臣開始是韓國的奸細，但經考察，渠修成後確實對秦國有利。」秦國人經過論證，認為他說得對，便讓他繼續修渠。渠成後，以淤積混濁的涇河水，灌溉兩岸低窪的鹽鹼地四萬多頃，畝產達到六石四斗。從此關中沃野千里，再沒有飢荒年成。秦國因此富強起來，最後併吞了諸侯各國，所以把此渠命名為「鄭國渠」。

【出處】

而韓聞秦之好興事，欲罷之，毋令東伐，乃使水工鄭國間說秦，令鑿涇水自中山西邸瓠口為渠，並北山東注洛三百餘里，欲以溉田。中作而覺，秦欲殺鄭國。鄭國曰：「始臣為間，然渠成亦秦之利也。」秦以為然，卒使就渠。渠就，用注填閼之水，溉澤鹵之地四萬餘頃，收皆畝一鐘。於是關中為沃野，無凶年，秦以富強，卒並諸侯，因命曰鄭國渠。（《史記》〈河渠書〉）

諫逐客書

秦國一直有廣納賢才為我所用的優良傳統。正當秦王政下決心統一六國之時，曝出韓國（鄭國）水工間諜事件。[26]東方各國紛紛效仿韓國，派間諜到秦國充當賓客，刺探情報。一時對外來客卿的議論風聲水起，向秦王進諫呼籲驅逐客卿的呼聲日益高漲：「各國來秦國的人，大抵是為了各自國家的利益來秦國搞破壞的，請大王下令驅逐一切來客。」秦王於是下達逐客令，在秦國司職已久的李斯也在被逐之列。李斯揮毫給秦王寫信，勸秦王不要逐客，這就是著名的《諫逐客書》。李斯列舉了從秦穆公以來歷代客卿為秦國崛起所做出的重大貢獻說：「從前秦穆公求賢人，從西戎請來由余，從楚國的宛地請來百里傒，從宋國迎來蹇叔，任用從晉國來的丕豹、公孫支。秦穆公因為任用這五個人，兼併了二十國，稱霸西戎。秦孝公重用商鞅，實行新

26. 鄭國：人名，戰國時期韓國水利專家，被韓王派去秦國修建水利工事以「疲秦」，主持修建著名的「鄭國渠」。

法，移風易俗，國家富強，打敗楚、魏，擴地千里，秦國因此強大起來。秦惠王用張儀的計謀，拆散了六國的合縱抗秦，迫使各國服從秦國。秦昭王得到范睢，削弱貴戚力量，加強了王權，蠶食諸侯，成就帝業。這四代秦王所任用的客卿，對秦國的崛起和強大做出了重大貢獻。如果這四位君王也下令逐客，只會使國家沒有富利之實，秦國也沒有強大之名。」接下來李斯就發表了那段被後世經常引用的經典名句：「臣聞地廣者粟多，國大者人眾，兵強則士勇。是以太山不讓土壤，故能成其大；河海不擇細流，故能就其深；王者不卻眾庶，故能明其德。是以地無四方，民無異國，四時充美，鬼神降福，此五帝三王之所以無敵也。」李斯接著又說：「如果拋棄百姓去幫助敵國，拒絕賓客去事奉諸侯，使天下賢士退卻而不敢西進，裹足止步不入秦國，這就好比『借武器給敵寇，送糧食給盜賊』啊。秦國的物產並不豐富，但珍寶很多；秦國本土的賢才有限，但願意來投靠效忠大王的卻不少。如今驅逐賓客以資助敵國，減損百姓來充實對手，就會造成內部空虛而增強外部的對手，那國家就非出大難不可。」秦王被李斯的文章折服，果斷地採納了李斯的建議，取消了逐客令，李斯仍然受到重用。[27]

【出處】

會韓人鄭國來間秦，以作注溉渠，已而覺。秦宗室大臣皆言秦王曰：「諸侯人來事秦者，大抵為其主游間於秦耳，請一切逐客。」李斯議亦在逐中。斯乃上書曰：臣聞吏議逐客，竊以為過矣。昔繆公求

27. 魯迅稱讚李斯說：「秦之文章，李斯一人而已。」李斯文章中，又首推《諫逐客書》最為著名。

士，西取由余於戎，東得百里傒於宛，迎蹇叔於宋，來丕豹、公孫支於晉。此五子者，不產於秦，而繆公用之，並國二十，遂霸西戎。孝公用商鞅之法，移風易俗，民以殷盛，國以富強，百姓樂用，諸侯親服，獲楚、魏之師，舉地千里，至今治強。惠王用張儀之計，拔三川之地，西並巴、蜀，北收上郡，南取漢中，包九夷，制鄢、郢，東據成皋之險，割膏腴之壤，遂散六國之從，使之西面事秦，功施到今。昭王得范睢，廢穰侯，逐華陽，強公室，杜私門，蠶食諸侯，使秦成帝業。此四君者，皆以客之功。由此觀之，客何負於秦哉！向使四君卻客而不內，疏士而不用，是使國無富利之實而秦無強大之名也。今陛下致崑山之玉，有隨、和之寶，垂明月之珠，服太阿之劍，乘纖離之馬，建翠鳳之旗，樹靈鼉之鼓。此數寶者，秦不生一焉，而陛下說之，何也？必秦國之所生然後可，則是夜光之璧不飾朝廷，犀象之器不為玩好，鄭、衛之女不充後宮，而駿良駃騠不實外廄，江南金錫不為用，西蜀丹青不為采。所以飾後宮、充下陳、娛心意、說耳目者，必出於秦然後可，則是宛珠之簪，傅璣之珥，阿縞之衣，錦繡之飾不進於前，而隨俗雅化佳冶窈窕趙女不立於側也。夫擊甕叩缶彈箏搏髀，而歌呼嗚嗚快耳目者，真秦之聲也；《鄭》《衛》《桑間》《昭》《虞》《武》《象》者，異國之樂也。今棄擊甕叩缶而就《鄭》《衛》，退彈箏而取《昭》《虞》，若是者何也？快意當前，適觀而已矣。今取人則不然。不問可否，不論曲直，非秦者去，為客者逐。然則是所重者在乎色樂珠玉，而所輕者在乎人民也。此非所以跨海內制諸侯之術也。臣聞地廣者粟多，國大者人眾，兵強則士勇。是以太山不讓土壤，故能成其大；河海不擇細流，故能就其深；王者不卻眾庶，故能明其德。是以地無四方，民無異國，四時充美，鬼神降福，此五帝三王之所以無敵也。今乃棄黔首以資敵國，卻賓客以業諸侯，使天下之士退而不敢西向，裹足不入秦，此所謂「藉寇兵而齎盜糧」者也。夫物不產於秦，可寶者多；士不產於秦，而願忠者眾。今逐客以資敵國，損民以益仇，內自虛而外樹怨於諸侯，求國無危，不可得也。秦王乃除逐客之令，復李斯官，卒用其計謀。（《史記》〈李斯列傳〉）

水德之瑞

秦始皇統一天下為帝，有人說：「黃帝於五行得土德，有黃龍和大蚯蚓出現。夏朝得木德，有青龍降落在都城郊外，草木長得格外茁壯茂盛。殷朝得金德，所以從山中流出銀子。周朝得火德，有紅色烏鴉這種符瑞產生。如今秦朝取代周朝天下，是得水德的時代。以前秦文公出外打獵時，曾經捕獲一條黑龍，這就是水德的吉祥物。」於是秦把黃河的名字改為「德水」，以冬季十月作為每年的開端，崇尚黑色。器物用六作單位，音樂崇尚大呂律，政事崇尚法令。

【出處】

秦始皇既並天下而帝，或曰：「黃帝得土德，黃龍地螾見。夏得木德，青龍止於郊，草木暢茂。殷得金德，銀自山溢。周得火德，有赤烏之符。今秦變周，水德之時。昔秦文公出獵，獲黑龍，此其水德之瑞。」於是秦更命河曰「德水」，以冬十月為年首，色上黑，度以六為名，音上大呂，事統上法。（《史記》〈封禪書〉）

渴望長生

從齊威王、齊宣王、燕昭王開始，不斷有人入海尋找蓬萊、方丈、瀛州三座神山。相傳三座神山在渤海之中，路程並不算遠。困難在於將到山側時，總會有海風吹引船隻離山而去。據說曾有人到過神山，發現眾仙人及長生不老藥真實存在。山上的萬物及禽獸都是白色的，以黃金和白銀建造宮闕。到山上以前，望過去如同一片白雲；來到跟前，見三神山反而在海水以下。想要登山，則每每被海風吹離。世俗間的君主帝王非常仰慕。秦始皇統一天下之後到海上遊覽，向他談及三神山故事的方士不計其數。始皇自以為親自到海上也不見得就能找到三神山，於是派人帶著童男童女到海上尋找。船從海中回來，都以遇風不能到達為辭，聲稱雖然沒有到達，卻親眼看見了三神山。第二年，始皇重遊海上，到琅邪路過恆山，取道上黨而回。三年後，巡遊碣石山，查問被派遣入海尋找三神山的方士，從上郡返回京城。過了五年，始皇南遊湘山，登會稽山，再臨東海，希望能得到三神山的長生不老藥，但是沒能如願，返回時在沙丘宮病死。

【出處】

自威、宣、燕昭使人入海求蓬萊、方丈、瀛洲。此三神山者，其傳在勃海中，去人不遠；患且至，則船風引而去。蓋嘗有至者，諸仙人及不死之藥皆在焉。其物禽獸盡白，而黃金銀為宮闕。未至，望之如雲；及到，三神山反居水下。臨之，風輒引去，終莫能至云。世主莫不甘心焉。及至秦始皇並天下，至海上，則方士言之不可勝數。始皇自以為至海上而恐不及矣，使人乃齎童男女入海求之。船交海中，皆以風為解，曰未能至，望見之焉。其明年，始皇復游海上，至琅邪，過恆山，從上黨歸。後三年，游碣石，考入海方士，從上郡歸。後五年，始皇南至湘山，遂登會稽，並海上，冀遇海中三神山之奇藥。不得，還至沙丘崩。（《史記》〈封禪書〉）

昌明文庫．悅讀國學　A0602016

國學經典故事：周朝　秦國卷

主　　編　萬安培
版權策畫　李煥芹
發 行 人　林慶彰
總 經 理　梁錦興
總 編 輯　張晏瑞
編 輯 所　萬卷樓圖書股份有限公司
排　　版　菩薩蠻數位文化有限公司
印　　刷　百通科技股份有限公司
封面設計　菩薩蠻數位文化有限公司
出　　版　昌明文化有限公司
桃園市龜山區中原街 32 號
電話　(02)23216565
發　　行　萬卷樓圖書股份有限公司
臺北市羅斯福路二段 41 號 6 樓之 3
電話　(02)23216565
傳真　(02)23218698
電郵　SERVICE@WANJUAN.COM.TW
大陸經銷　廈門外圖臺灣書店有限公司
電郵　JKB188@188.COM

ISBN 978-986-496-550-2
2020 年 2 月初版
定價：新臺幣 420 元

如何購買本書：
1. 轉帳購書，請透過以下帳戶
合作金庫銀行　古亭分行
戶名：萬卷樓圖書股份有限公司
帳號：0877717092596
2. 網路購書，請透過萬卷樓網站
網址　WWW.WANJUAN.COM.TW
大量購書，請直接聯繫我們，將有專人為您服務。客服：(02)23216565　分機 610
如有缺頁、破損或裝訂錯誤，請寄回更換

國家圖書館出版品預行編目資料

國學經典故事：周朝 秦國卷 / 萬安培主編. -- 初版. -- 桃園市：昌明文化出版；臺北市：萬卷樓發行, 2020.02
面；　公分. -- (昌明文庫；A0602016)
ISBN 978-986-496-550-2(平裝)

1.漢學 2.通俗作品

030　　109002904